U-BAHNEN IN [...] D

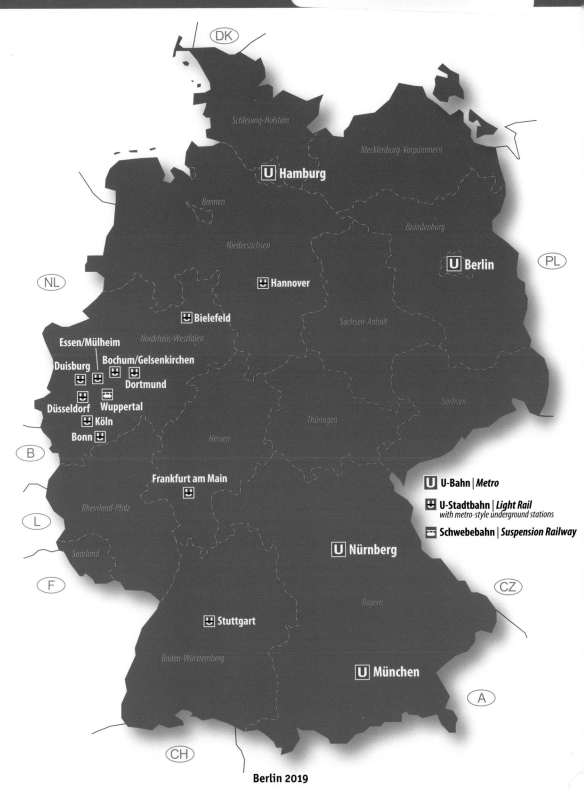

DK

U Hamburg

Schleswig-Holstein

Mecklenburg-Vorpommern

Bremen

Brandenburg

Niedersachsen

U Berlin

PL

NL

Hannover

Bielefeld

Sachsen-Anhalt

Nordrhein-Westfalen

Essen/Mülheim

Bochum/Gelsenkirchen

Duisburg

Dortmund

Düsseldorf Wuppertal

Köln

Sachsen

Thüringen

Bonn

B

Hessen

Frankfurt am Main

U U-Bahn | *Metro*

U-Stadtbahn | *Light Rail*
with metro-style underground stations

Schwebebahn | *Suspension Railway*

Rheinland-Pfalz

L

Saarland

U Nürnberg

F

CZ

Bayern

Stuttgart

Baden-Württemberg

U München

A

CH

Berlin 2019

Robert Schwandl

U-BAHNEN IN DEUTSCHLAND
+ U-Stadtbahnen

Robert Schwandl Verlag
Hektorstraße 3
D-10711 Berlin

Tel. 030 - 3759 1284 (0049 - 30 - 3759 1284)
Fax 030 - 3759 1285 (0049 - 30 - 3759 1285)

www.robert-schwandl.de
info@robert-schwandl.de

1. Auflage, 2019

Text & Netzpläne | Text & Network Maps © Robert Schwandl
    English Text by Robert Schwandl & Mark Davies
Fotos ohne Vermerk | Photos without indication © Robert Schwandl
Lektorat: Felix Thoma, Wolfgang Wellige (M, N), Dirk Budach (BI)

Druck: Ruksaldruck, Berlin
ISBN 978-3-936573-57-2

VORWORT

48 Jahre ist es nun her, dass Fritz D. Kegel 1971 das erste umfassende Buch über U-Bahnen in Deutschland geschrieben hat, in einer Zeit, als der Bau von U-Bahnen und Stadtbahnen boomte. In jenem Jahr eröffnete gerade München die dritte „echte" U-Bahn Deutschlands, doch in fast allen größeren Städten Westdeutschlands baute man bereits Tunnel oder war wenigstens knapp davor.

München (Alte Heide)

12 Jahre sind inzwischen auch schon seit meinem Buch „Schnellbahnen in Deutschland" vergangen, in dem ich versucht hatte, einen aktuellen Überblick zu geben. Nun möchte ich Ihnen in einer leicht veränderten Form eine neue Ausgabe präsentieren, auch wenn sich in letzter Zeit im Bereich „U-Bahn" nicht allzu viel getan hat: In Hamburg entstand die U4 als Abzweig der U2, in München liegt die Eröffnung der letzten Neubaustrecke auch schon 8 Jahre zurück, in Nürnberg wächst die fahrerlose U3 in kleinen Schritten, aber kontinuierlich, und in Berlin ist die U5 bis heute nicht fertig. Bei den Stadtbahnen war der wesentlichste Zuwachs die „Wehrhahnlinie" in Düsseldorf, während in Köln die „Nord-Süd-Stadtbahn" infolge des verheerenden Unfalls im Jahr 2009 erst Mitte der 2020er Jahre durchgehend befahrbar sein wird.

In dieser neuen Ausgabe habe ich die S-Bahnen nicht berücksichtigt, vielleicht kommt mittelfristig ein eigener Band über „S-Bahnen und Regional-Stadtbahnen in Deutschland". Ich bin aber sicher, dass meine treuen Leser die größere Schrift, die größere Anzahl größerer Bilder sowie die größeren (und noch besseren...) Netzpläne zu schätzen wissen!

Nürnberg (Hauptbahnhof)

Ich wünsche allen eine gute und sichere Fahrt!

Berlin, im Februar 2019

Robert Schwandl

FOREWORD

It has been 48 years since Fritz D. Kegel wrote the first comprehensive book about U-Bahn systems in Germany in 1971, at a time when the construction of U-Bahn and Stadtbahn lines was at its peak. In that year, Germany's third 'real' metro opened in Munich, while most of the larger cities in West Germany were excavating tunnels or about to start.

Düsseldorf (Nordstraße)

12 years have passed since I published my book 'Metros in Germany', in which I presented the current state of rapid transit systems in this country. Now it's time for a new edition, although to be honest, not that much has happened since then: as far as the 'U-Bahn' is concerned, Hamburg opened its U4 as a branch off line U2; in Munich, the most recent extension happened 8 years ago; in Nuremberg, the driverless U3 is steadily growing although in small steps; and in Berlin, the neverending U5 project still hasn't been finished. Among the 'Stadtbahn' systems, the most noteworthy addition was the 'Wehrhahnlinie' in Düsseldorf, while the 'Nord-Süd-Stadtbahn' in Cologne won't be fully operational until the mid-2020s following a fatal accident in 2009.

S-Bahn systems have not been included in this volume, but there may be a special book about 'S-Bahnen & Regional-Stadtbahnen in Deutschland' in the mid-term future. I'm sure, though, that my loyal readers will appreciate the larger font type used, the increased number of large photos as well as the larger (and better...) network maps!

I wish you all a safe and pleasant journey!

Berlin, February 2019

Robert Schwandl

Inhalt | *Contents*

Berlin (Pankow)

Hamburg (Elbbrücken)

Ⓤ U-Bahnen in Deutschland

Berlin und Hamburg zählen zu den ältesten U-Bahn-Städten der Welt. Bevor 1902 die erste Untergrundbahn Deutschlands in Berlin in Betrieb genommen wurde, verkehrte allerdings bereits die Wuppertaler Schwebebahn als Stadtschnellbahn:

1890 - London: Underground (erste elektrische U-Bahn)
1893 - Liverpool: Overhead Railway (1956 stillgelegt und abgerissen)
1896 - Glasgow: Subway (seither nie erweitert)
1896 - Budapest: Földalatti (heute M1)
1896 - Chicago: Elevated bzw. ‚L' (elektrischer Betrieb)
1897 - Boston: Subway (U-Strab)
1900 - Paris: Métropolitain (heute Métro)
1901 - **Wuppertal**: Schwebebahn
1902 - **Berlin**: Hoch- und Untergrundbahn (heute U-Bahn)
1904 - New York: Subway (zuvor auch nicht elektrifizierte Hochbahn)
1928 - Philadelphia: Subway (U-Strab)
1912 - **Hamburg**: Hochbahn (teilweise unterirdisch)
1913 - Buenos Aires: Subterráneo (kurz Subte)
1919 - Madrid: Metropolitano (heute Metro)
1924 - Barcelona: Metropolitano (heute Metro)
1927 - Tokyo: Subway (heute auch Metro)
1933 - Osaka: Subway (heute auch Metro)
1935 - Moskau: Metropoliten (heute auch Metro)

Während die Netze in Berlin und Hamburg nach und nach erweitert wurden, passierte in anderen deutschen Städten lange Zeit nichts. Während der Nazi-Zeit wurde zwar viel geplant, dann aber doch wenig gebaut und noch viel mehr zerstört. Nach dem Zweiten Weltkrieg kam die Teilung Deutschlands, und im Osten war U-Bahn-Bau vorerst kein Thema. Im Westen hingegen stieg der Autoverkehr in den 1950er Jahren rapide an, was viele Großstädte auf die Idee brachte, die bestehenden Straßenbahnstrecken unter die Erde zu legen, einerseits damit die Straßenbahnen schneller und ungehinderter vorankommen, andererseits aber eher damit die Autos schneller und ungehinderter vorankommen. Etwa zeitgleich wurde Anfang der 1960er Jahre in vielen Städten mit über einer halben Million Einwohnern der Beschluss zum Bau einer U-Bahn gefasst, damals meist noch mit dem Ziel einer völlig kreuzungsfreien Schnellbahn nach Berliner Vorbild. Während man in den bayerischen Großstädten München und Nürnberg an diesem Ziel festhielt, kamen Anfang der 1970er Jahre die meisten anderen Städte zu der Einsicht, dass dieses Ziel wohl zu hoch gegriffen war und dass man mit dem neuen Konzept „Stadtbahn" besser weiterkommen würde. Ähnlich wie bei einer „Pré-Métro" vom Brüsseler Typ sollten dabei die Tunnel- bzw. Hochbahnstrecken für die Straßenbahn so gebaut werden, dass sie zu einem späteren Zeitpunkt

Ⓤ *Metros in Germany*

Berlin and Hamburg are among the first-generation metro cities of the world. Even before Germany's first underground railway started operation in Berlin in 1902, the Schwebebahn provided a metro-like service in Wuppertal:

1890 - London: Underground (first electric metro)
1893 - Liverpool: Overhead Railway (abandoned and demolished in 1956)
1896 - Glasgow: Subway (never expanded since)
1896 - Budapest: Földalatti (now the M1)
1896 - Chicago: Elevated or 'L' (electric operation)
1897 - Boston: Subway (underground tramway)
1900 - Paris: Métropolitain (now Métro)
1901 - Wuppertal: Schwebebahn (suspension railway)
1902 - Berlin: Hoch- und Untergrundbahn (now U-Bahn)
1904 - New York: Subway (previously also non-electrified elevated routes)
1928 - Philadelphia: Subway (underground tramway)
1912 - Hamburg: Hochbahn (partly underground)
1913 - Buenos Aires: Subterráneo (short Subte)
1919 - Madrid: Metropolitano (now Metro)
1924 - Barcelona: Metropolitano (now Metro)
1927 - Tokyo: Subway (now also Metro)
1933 - Osaka: Subway (now also Metro)
1935 - Moscow: Metropoliten (now also Metro)

While the networks in Berlin and Hamburg were gradually expanded, nothing happened in the other German cities at the time. During the Nazi period, lots of plans were made, little was realised, and a lot was destroyed. After World War II, Germany was divided, and in the East, U-Bahn construction did not come into consideration for many years. In the West, however, road traffic increased considerably during the 1950s, so many of the larger cities proposed tunnels in the city centres for their tramways — on the one hand, to increase the trams' travel speed and avoid traffic jams, while on the other hand, to increase the cars' travel speed and avoid traffic jams (caused by trams). In the early 1960s, many cities with a population of over half a million decided to build a full-scale Berlin-style metro network. While this dream became a reality in the Bavarian cities of Munich and Nuremberg, all the other cities had to accept by the early 1970s that they were still a long way from their goal, and that the new 'Stadtbahn' concept was more suitable for them. Similar to the 'Pré-Métro' designed in Brussels, the tram tunnels and elevated routes were to be built to metro standard to allow for a later conversion to U-Bahn operation. This refers to the tunnel profile, the gap between the tracks, the radius of the curves and the gradients, but also to the length and height of the

Essen (Karlsplatz)

Kröpcke

Hannover (Kröpcke)

ohne großen Aufwand zu einer „echten" U-Bahn ausgebaut werden könnten. Das betrifft vor allem das Tunnelprofil und den Gleisabstand, die Kurvenradien und Steigungen, aber auch die Länge und Höhe der Bahnsteige. Seither haben die einzelnen Städte das Konzept „Stadtbahn" in einem mehr oder weniger großen Umfang umgesetzt. Eine „echte" U-Bahn ist seit der Inbetriebnahme der Nürnberger U-Bahn im Jahr 1972 jedoch nicht mehr entstanden.

U Was ist eine U-Bahn bzw. Stadtbahn?
Verkehrsbetriebe neigen aus Marketing-Gründen oft dazu, das von ihnen betriebene Netz mit einem Begriff zu bezeichnen, der eigentlich einem höherwertigeren System entsprechen würde, z.B. *Frankfurter U-Bahn* (eine klassische Stadtbahn) oder *Erfurter Stadtbahn* (eine klassische Straßenbahn). Während das völlig legitim ist, trägt es doch zu einer gewissen Verwirrung bei, weshalb die Begriffe wenigstens für dieses Buch klarer definiert werden sollen. Dabei wird weniger auf technische Aspekte Wert gelegt, sondern eher darauf, wie sich der Ausbaustandard des Netzes auf den Fahrgast auswirkt, denn kreuzungsfreie und von anderen Bahnen getrennte Schnellbahnen sind wesentlich schneller und zuverlässiger. Außerdem sind Stationen mit ebenem Einstieg nicht nur behindertenfreundlich, sondern es verkürzt sich durch den schnelleren Fahrgastwechsel die Fahrzeit insgesamt erheblich.

Mit dem Begriff „U-Bahn" steht der deutschsprachige Raum international gesehen etwas alleine, denn längst hat sich weltweit der Begriff „Metro" durchgesetzt, daneben ist noch das amerikanische „Subway" gut vertreten. Aber auch „Metro" wird heute in manchen Städten für etwas verwendet, was vor einigen Jahren noch als „Tramway" bezeichnet worden wäre, z.B. die *West Midlands Metro* in Birmingham oder die *Metro do Porto*, beides eher typische Stadtbahnen.

Diese Unklarheiten bei den Bezeichnungen spiegeln aber nur die Tatsache wider, dass sich die einzelnen Arten von städtischen Bahnen immer mehr vermischen und eine begriffliche Abgrenzung deshalb auch nicht immer sinnvoll ist. Jede Stadt ist unterschiedlich und muss deshalb das für sie ideale Verkehrsmittel finden, sei es in der Form einer klassischen U-Bahn, in der Form einer Niederflur-Stadtbahn oder in der Form einer Regio-Tram, der Artenvielfalt seien keine Grenzen gesetzt. In der folgenden Tabelle werden die wichtigsten Merkmale der einzelnen Schnellbahnarten, wie sie in diesem Buch verstanden werden, dargestellt:

platforms. The various cities have since been more or less successful with the conversion of their tram systems to Stadtbahn standard, but no 'real' metro has emerged from them since the Nuremberg U-Bahn opened in 1972.

U What is an U-Bahn and a Stadtbahn?
For marketing reasons, transport operators often tend to use a term for their system which corresponds to a higher level of service than what they can actually offer, e.g. the 'U-Bahn' in Frankfurt, which is a classic 'Stadtbahn', or the 'Stadtbahn' in Erfurt, which is a classic tramway. While this is absolutely legitimate, it adds to the confusion, and therefore, for this book, we would like to make a clearer definition of these terms. We will not focus on the technical aspects, but rather on how a certain choice of transport affects the passenger. A grade-separated route and a line segregated from other rail services can certainly provide a faster and more reliable service; and stepfree access into the rail vehicle is not only useful for the handicapped, but it also accelerates alighting and boarding for everybody, thus reducing the overall journey times.

The term 'U-Bahn' used in the German-speaking world is rather isolated internationally, considering that the term 'Metro' has meanwhile become popular in almost every part of the world, in some places it still competes with the American 'Subway'. But 'Metro' is now also often used for systems which a few years ago would still have been called 'tramways', e.g. the 'West Midlands Metro' in Birmingham, or the 'Metro do Porto', which are both light rail systems. In English, the popular term 'light rail' is applied to anything from a modern tramway to even a driverless metro, like the 'Docklands Light Railway'.

The confusion of terms only reflects the fact that more and more hybrid systems are being built, and a strict classification is therefore not recommendable anyway. Each city is different and therefore needs to decide on its own ideal transport system, be it a classical U-Bahn, a low-floor light rail system, or a tram-train. The following table lists some key features for each transport mode, along with some terms used in other countries for similar systems:

U-Bahn*

Internationale
Entsprechungen:
International terms:

Metro
Subway
Underground
Rapid Transit
MRT
Tunnelbana
Subte
Metropolitana
Tren Urbano
MTR

- rein städtisches Verkehrsmittel mit einem typischen Stationsabstand von 600 m bis 800 m
- dichter Takt (Hauptverkehrszeit 3-5 Minuten, sonst tagsüber max. 10 Minuten)
- völlig kreuzungsfrei und unabhängig (unterirdisch oder oberirdisch)
- einfach darstellbare Linienführung, teilweise mit Verzweigungen
- baulich abgeschlossene Bahnhöfe, Neubauten behindertengerecht zugänglich
- ebener Einstieg (Hochbahnsteige)
- keine Zugangssperren
- typische Zugbreite 2,30 m - 2,90 m, typische Zuglänge 75 m - 130 m
- Betrieb manuell, mit LZB (Linienzugbeeinflussung) gesteuert oder fahrerlos
- Streckensignalisierung
- nach BOStrab (Verordnung über den Bau und Betrieb der Straßenbahnen) betrieben
- Stromzufuhr über seitliche Stromschiene (Gleichstrom)
- Standardspurweite 1435 mm
- Stahlrad-Schiene-Technik

- *purely urban means of transport, with a typical distance of 600 m - 800 m between stations*
- *short intervals between trains (peak hours 3-4 minutes, max. 10 minutes during daytime service)*
- *completely grade-separated and segregated from road and other rail traffic (underground or above ground)*
- *clearly defined lines, sometimes with branches*
- *structurally defined stations, new stations fully accessible*
- *level access into vehicles (high platforms)*
- *no access barriers*
- *typical car width 2.30 m - 2.90 m, typical train length 75 m - 130 m*
- *operation manual, in ATO mode or driverless*
- *route signalling*
- *the BOStrab (law governing regulations for tramway operations) is applicable*
- *power supply via a third rail (dc)*
- *standard gauge 1435 mm*
- *steel wheel on steel rail*

U-Stadtbahn*

Internationale
Entsprechungen:
International terms:

Light Rail
LRT
Prémétro
Sneltram
Metro Ligero
Metropolitana
  leggera

- Mischform aus U-Bahn und Straßenbahn
- rein städtisch, teilweise mit städteverbindenden Strecken (z.B. Köln/Bonn)
- dichter Takt (tagsüber max. 10 Minuten, oft Bündelung von Linien)
- teilweise U-Bahn-mäßige Abschnitte, vor allem im dicht bebauten Gebiet
- sonst weitgehend eigener Gleiskörper, jedoch mit Bahnübergängen
- ausnahmsweise straßenbündige Abschnitte wie bei Straßenbahnen
- ebener Einstieg (Hochbahnsteige bei Hochflurfahrzeugen, Niedrigbahnsteige bei Niederflurfahrzeugen)
- Stromzufuhr über Oberleitung (Gleichstrom)
- typische Zugbreite 2,20 m - 2,65 m, typische Zuglänge 30 m - 80 m
- nach BOStrab betrieben
- auf oberirdischen Abschnitten teilweise ohne Streckensignalisierung
- Ampelvorrangschaltung an Kreuzungen

- *hybrid between metro and tram system*
- *purely urban means of transport, sometimes with interurban routes (e.g. Cologne/Bonn)*
- *short intervals between trains (max. 10 minutes during daytime service, often overlapping lines)*
- *some metro-like sections, especially in densely built-up areas*
- *otherwise mostly separate right-of-way, but with level crossings*
- *tramway-style on-street running being the exception*
- *stepfree access (high platforms for high-floor vehicles, and low platforms for low-floor vehicles)*
- *power supply via an overhead wire (dc)*
- *typical car width 2.20 m - 2.65 m, typical train length 30 m - 80 m*
- *the BOStrab (law governing regulations for tramway operations) is applicable*
- *on surface sections, partly without route signalling*
- *priority at traffic lights*

* Diese Beschreibungen beziehen sich nur auf die heutigen Systeme in Deutschland, im Ausland findet man auch andere Beispiele: Die Wiener U6 erfüllt auch mit niederflurigen Stadtbahnzügen alle Kriterien einer „echten" U-Bahn, Ähnliches gilt für die Metro in Sevilla; in Rotterdam verkehren „Sneltrams" teils mit Oberleitung, teils mit seitlicher Stromschiene; in Spanien sind heute sämtliche klassischen Metros mit Oberleitung ausgerüstet; in Japan gibt es zahlreiche Metrolinien mit Kapspur (1067 mm), außerdem viele davon verknüpft mit Vorortbahnen; nicht nur in Frankreich fahren gummibereifte Metrozüge; in Helsinki oder Oslo sind selbst Metro-Züge über 3 m breit; usw.

* *Some of these definitions only refer to systems presently found in Germany. In the rest of the world, other parameters may be found. For example: Vienna's U6 operates with low-floor light rail cars but otherwise meets all the criteria of a 'real' metro, just like the Metro in Seville; in Rotterdam, the 'Sneltram' switches from overhead wire to third-rail power supply; in Spain, all the classic metros now have overhead catenaries; in Japan, many metro lines have a track gauge of 1067 mm, and some of them provide a reciprocal service on suburban lines; in France and other countries, rubber-tyred metro trains are used; in Helsinki and Oslo, even the metro trains have a width of over 3 m; etc.*

Frankfurt am Main (Westend)
– eigentlich eine Stadtbahn, aber sehr nah an einer U-Bahn
– *actually light rail, but very close to a real metro*

Hochflurige U-Stadtbahnen sind außerhalb Deutschlands eher selten zu finden. Neben den „Sneltrams" in Amsterdam (bis 2019) und Rotterdam oder der „Prémétro" von Charleroi in Belgien findet man ähnliche Betriebe mit längeren unterirdischen Strecken in Buffalo, Pittsburgh, Saint Louis, San Francisco (*Muni Metro*) und Los Angeles (alle USA), in Edmonton (Kanada) sowie in Guadalajara (Mexico). Andererseits nutzen zahlreiche Betriebe stadtbahnähnliche Fahrzeuge auf komplett unabhängig trassierten Strecken (z.B. Genua, Manila, Monterrey, Bursa, Adana), die jedoch demnach als „Metros" einzustufen sind.

Neuere Stadtbahnen mit unterirdischen Strecken entstanden hingegen in der Regel als Niederflursysteme, etwa in Porto (Portugal), Málaga (Spanien) oder derzeit im Bau in Ottawa und Toronto (Kanada).

Vor allem in den Boom-Regionen der Welt wie China, Indien, der Golfregion, Südostasien und Südamerika entscheidet man sich heute meist für den Bau von klassischen Metros, teils auch fahrerlos.

High-floor Stadtbahn systems with underground sections are rather rare outside Germany. Besides the 'Sneltrams' in Amsterdam (only until 2019) and Rotterdam, and the 'Prémétro' in Charleroi (Belgium), similar systems with notable underground sections can be found in Buffalo, Pittsburgh, St. Louis, San Francisco (Muni Metro), Los Angeles (all USA), Edmonton (Canada) as well as Guadalajara (Mexico). On the other hand, numerous systems use light rail type rolling stock on completely gradeseparated lines (e.g. Genoa, Manila, Monterrey, Bursa and Adana), which we therefore classify as 'metros'.

More recent light rail systems with underground sections have mostly been built for low-floor vehicles, such as those in Porto (Portugal) and Málaga (Spain) or the ones in Ottawa and Toronto (Canada) currently under construction.

Most cities in the world's booming regions, like China, India, the Gulf Region, Southeast Asia and South America, have opted for classic metros, in some cases operated in driverless mode.

● **Benutzerhinweise für dieses Buch**:

Es werden nur die heutigen Stationsnamen verwendet, zeitweise in Klammern ergänzt durch frühere Bezeichnungen.

Tabellen:
Bei Stadtbahnen werden nur U-Bahn-mäßig ausgebaute Strecken sowie neuere Neubaustrecken aufgelistet.
+ = auf bestehender Strecke neu gebaute Station
[X] = Schließung einer Station oder eines Abschnitts
Ⓤ = unterirdisch
◣ = Tunnelrampe
Bildtexte:
> Der Pfeil zeigt die Blickrichtung zwischen zwei Stationen an.

● *How to use this book?*

Only current station names are used; sometimes the former name is given in brackets.

Tables:
For Stadtbahn networks only metro-like sections and recent new sections are listed.
+ = *station added on existing route*
[X] = *closure of station or section*
Ⓤ = *underground*
◣ = *tunnel ramp*
Captions:
> *The arrow indicates the direction of view between two stations.*

U5 Frankfurter Allee – IK17 #1033

BERLIN

Berlin ist die Hauptstadt der Bundesrepublik Deutschland und gleichzeitig eines der 16 Bundesländer. Heute leben in Berlin rund 3,6 Mio. Menschen. Mit dem engeren „Speckgürtel", der größtenteils von der S-Bahn erschlossen wird und zum Bundesland Brandenburg gehört, steigt die Gesamteinwohnerzahl auf etwa 4,5 Millionen.

Die neun Berliner U-Bahn-Linien werden wie die Straßenbahn und die meisten Buslinien von der 1929 gegründeten BVG (*Berliner Verkehrsbetriebe*) betrieben. Tariflich sind alle öffentlichen Verkehrsmittel im *Verkehrsverbund Berlin-Brandenburg* (VBB) integriert: Für die Zone Berlin AB (Stadtgebiet mit gesamtem U-Bahn-Netz) ist eine Tageskarte für 7,00 € erhältlich.

Tagsüber verkehren die meisten U-Bahn-Linien alle 4-5 Minuten, abends alle 10 Minuten. Der Betrieb beginnt um ca. 4 Uhr und endet wochentags um ca. 0:30 Uhr. An Wochenenden wird auf allen Linien (außer U4 und U55) nachts ein durchgehender 15-Minuten-Takt angeboten.

1902, als die erste Strecke der „Berliner Hoch- und Untergrundbahn" eröffnet wurde, war Berlin nach London, Glasgow, Budapest und Paris die fünfte Stadt Europas mit einer U-Bahn. In Amerika verkehrten damals nur in Boston Straßenbahnen im Tunnel, allerdings gab es sowohl in New York als auch in Chicago bereits ein weitreichendes Netz von Hochbahnen. Auch in Berlin verlief die erste, von Siemens & Halske errichtete Linie größtenteils als Hochbahn zwischen Warschauer Straße und Nollendorfplatz, lediglich im nobleren Charlottenburg musste man von Anfang an unter die Erde. So entstanden bereits 1902 neben einer provisorischen Endstation am Abzweig zum

Berlin is the capital of the Federal Republic of Germany, and at the same time one of its 16 federal states. It is home to some 3.6 million people, which rises to approximately 4.5 million if you include the surrounding region which lies in the state of Brandenburg and is mostly served by the S-Bahn.

Berlin's nine U-Bahn lines, as well as the city's tram and bus networks, are operated by the BVG (Berliner Verkehrsbetriebe), founded in 1929. All public transport is integrated into the VBB fare system (Verkehrsverbund Berlin-Brandenburg): for zone 'Berlin AB' (city territory covering the entire U-Bahn system) a day ticket is available for €7.00.

During daytime hours, the U-Bahn operates every 4-5 minutes, and in the evening, every 10 minutes. Service starts at around 04:00 on weekdays, with the last trains running at around 00:30. On weekends, a continuous 15-minute night service is provided on every line, except U4 and U55.

In 1902, when the first route of the 'Berliner Hoch- und Untergrundbahn' [Berlin Elevated & Underground Railway] was opened, Berlin became the fifth city in Europe to have an underground metro, following London,

U-Bahn

145.5 km (ca. 29 km oberirdisch | *on the surface*), 195 U-Bahnhöfe | *stations*
43.5 km Kleinprofilnetz | *small-profile network*
102 km Großprofilnetz | *large-profile network*
2.2 km (3 U-Bahnhöfe | *stations*) im Bau | *under construction*
9 Linien | *lines*

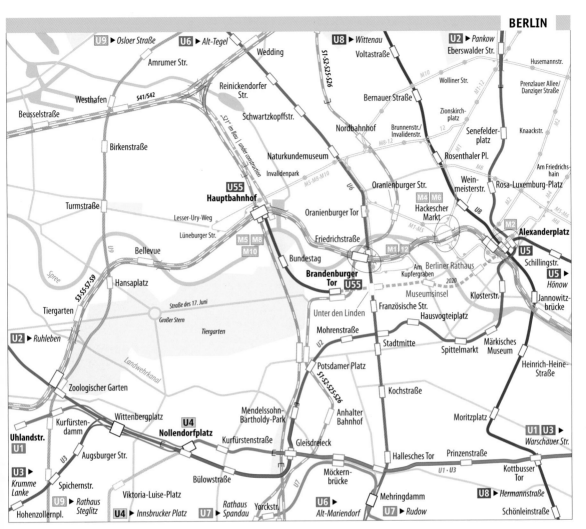

Potsdamer Platz die ersten unterirdischen Bahnhöfe Wittenbergplatz, Zoologischer Garten und Ernst-Reuter-Platz (damals Knie).

Nach dem Erfolg der ersten Strecke, die das eigentliche Stadtzentrum nur tangierte, wurde das Netz nach und nach ausgebaut. Mit der Verlängerung vom Potsdamer Platz zum Spittelmarkt im Jahr 1908 wurde auch das Stadtzentrum erschlossen. Bereits 1906 war die U-Bahn in Charlottenburg bis zum Theodor-Heuss-Platz verlängert worden. 1910 kam die knapp 3 km lange „Schöneberger U-Bahn" (heute U4) und 1913 die Strecke der heutigen U3 durch Wilmersdorf bis Thielplatz sowie die Verlängerung durch die Innenstadt bis Schönhauser Allee hinzu, so dass bei Ausbruch des 1. Weltkriegs ein Netz von ca. 38 km zur Verfügung stand. Die ersten Strecken bilden heute das **Kleinprofilnetz** (Linien U1-U4), d.h. das Profil der fast durchweg in einfacher Tiefenlage gebauten Tunnel erlaubte nur eine Wagenbreite von 2,30 m (heute 2,40 m). Die Bahnsteige waren anfangs 90 m lang und wurden später für den Einsatz von 8-Wagen-Zügen auf 110 m verlängert. Die Stromversorgung erfolgt bis heute über eine von oben bestrichene seitliche Stromschiene. Im Laufe der Jahrzehnte wurde das Kleinprofilnetz noch geringfügig auf heute 43,5 km erweitert. Die Gleislage an den Knoten Wittenbergplatz und Nollendorfplatz erlaubt die verschie-

Glasgow, Budapest and Paris. In America at that time, only Boston had underground routes, which were served by trams, although New York and Chicago already boasted numerous elevated lines. Berlin's first metro line, built by Siemens & Halske, was also mainly elevated, namely from Warschauer Straße to Nollendorfplatz, and only the stretch through the posher Charlottenburg had to be built below ground from the beginning. Besides the temporary terminus of the branch to Potsdamer Platz, the first underground stations were thus opened at Wittenbergplatz, Zoologischer Garten and Ernst-Reuter-Platz (then Knie) in 1902.

With the success of the first route, which did not reach the city centre proper, the network gradually expanded. The extension from Potsdamer Platz to Spittelmarkt in 1908 took the U-Bahn into the city centre. In Charlottenburg, the U-Bahn had been extended to Theodor-Heuss-Platz in 1906. In 1910, the 3 km 'Schöneberger U-Bahn' (now line U4) was added, followed in 1913 by today's U3 through Wilmersdorf up to Thielplatz, as well as a northern extension through the city centre to Schönhauser Allee. By the beginning of World War I the network had reached a total length of 38 km. The original routes now form the **small-profile network** (lines U1-U4), i.e. their tunnels mostly run just below street level and

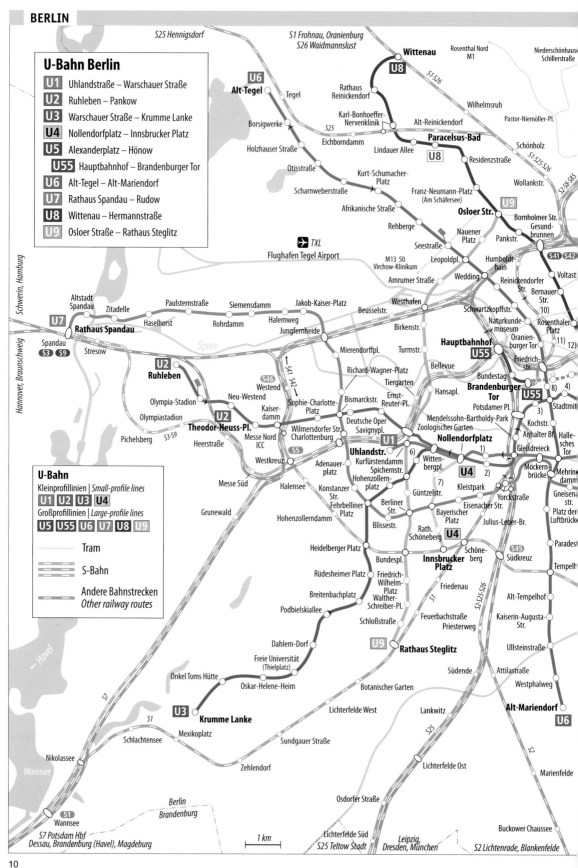

U-Bahn Berlin

U1	Uhlandstraße – Warschauer Straße
U2	Ruhleben – Pankow
U3	Warschauer Straße – Krumme Lanke
U4	Nollendorfplatz – Innsbrucker Platz
U5	Alexanderplatz – Hönow
U55	Hauptbahnhof – Brandenburger Tor
U6	Alt-Tegel – Alt-Mariendorf
U7	Rathaus Spandau – Rudow
U8	Wittenau – Hermannstraße
U9	Osloer Straße – Rathaus Steglitz

U-Bahn

Kleinprofillinien | *Small-profile lines*
U1 U2 U3 U4
Großprofillinien | *Large-profile lines*
U5 U55 U6 U7 U8 U9

Tram

S-Bahn

Andere Bahnstrecken
Other railway routes

1 km

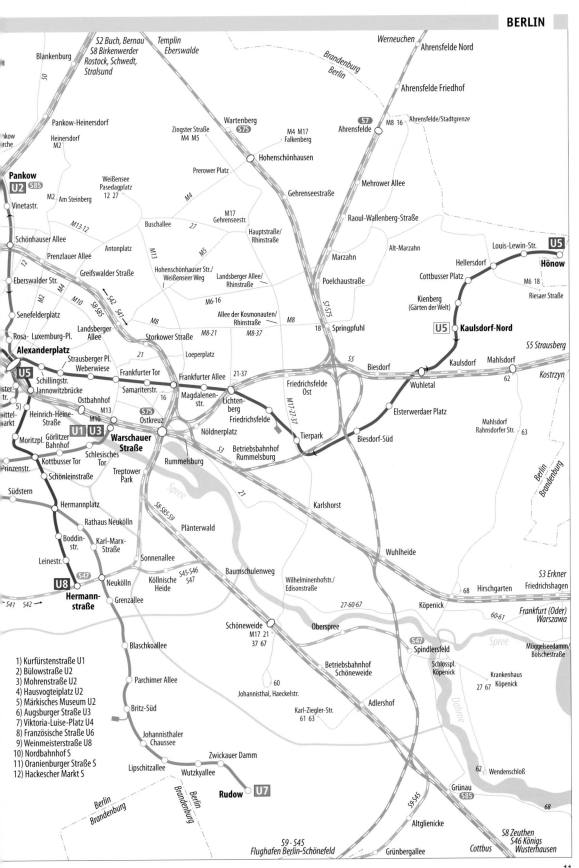

Blankenburg

S2 Buch, Bernau
S8 Birkenwerder
Rostock, Schwedt,
Stralsund

Templin
Eberswalde

Werneuchen

Ahrensfelde Nord

Brandenburg
Berlin

Ahrensfelde Friedhof

Pankow-Heinersdorf

Heinersdorf
M2

Wartenberg
S75

Zingster Straße
M4 M5

M4 M17
Falkenberg

Ahrensfelde
S7

M8 16

Ahrensfelde/Stadtgrenze

Hohenschönhausen

Mehrower Allee

Pankow
U2 S85

Prerower Platz

Weißensee
Pasedagplatz
12 27

Gehrenseestraße

Vinetastr.

M2 Am Steinberg

M4

Raoul-Wallenberg-Straße

Louis-Lewin-Str. U5

Buschallee

M17
Gehrenseestr.

Hauptstraße/
Rhinstraße

Marzahn

Alt-Marzahn

Hellersdorf

Hönow

Schönhauser Allee

Antonplatz

M13-12

Prenzlauer Allee

Greifswalder Straße

Hohenschönhauser Str./
Weißenseer Weg

M13

M5

Landsberger Allee/
Rhinstraße

Poelchaustraße

Cottbusser Platz

M6 18

Riesaer Straße

Eberswalder Str.

Senefelderplatz

M2 M10 S8·S85 S42 S41

M6·16

Allee der Kosmonauten/
Rhinstraße

Kienberg
(Gärten der Welt)

M8

M8

18

Springpfuhl

U5 **Kaulsdorf-Nord**

Rosa- Luxemburg-Pl.

Landsberger
Allee

Storkower Straße

M8-21

M8-37

S5 Strausberg

Alexanderplatz
U5

Strausberger Pl.
Weberwiese

21

Loeperplatz

S5

Biesdorf

Kaulsdorf

Mahlsdorf

62

Kostrzyn

Schillingstr.

Frankfurter Tor

Frankfurter Allee

21-37

Wuhletal

Jannowitzbrücke

Samariterstr.

Friedrichsfelde
Ost

Elsterwerdaer Platz

str.

Ostbahnhof

16

Magdalenen-
str.

M17·27·37

Mahlsdorf
Rahnsdorfer Str.
63

5)

Heinrich-Heine-
Straße

M13
M10

S75
Ostkreuz

Lichten-
berg
Friedrichsfelde

Tierpark

Biesdorf-Süd

Moritzpl.

Görlitzer
Bahnhof

U1 U3 **Warschauer
Straße**

Nöldnerplatz

mittel-
markt

Kottbusser Tor

Schlesisches
Tor

Rummelsburg

Betriebsbahnhof
Rummelsburg

Prinzenstr.

Schönleinstraße

Treptower
Park

S3

Spree

Südstern

Hermannplatz

S8·S85·S9

Karlshorst

Rathaus Neukölln

Plänterwald

21

Boddin-
str.

Karl-Marx-
Straße

Berlin
Brandenburg

Leinestr.

Sonnenallee

Baumschulenweg

Wuhlheide

S3 Erker

U8 S47

Neukölln

Köllnische
Heide

S45·S46
S47

Wilhelminenhofstr./
Edisonstraße

68 Hirschgarten Friedrichshagen

**Hermann-
straße**

S41 S42

Grenzallee

27-60-67

Köpenick

60-61

Frankfurt (Oder)
Warszawa

Schöneweide
M17 21
37 67

Oberspree

S47
Spindlersfeld

Spree

Müggelseedamm/
Bölschestraße

Blaschkoallee

Betriebsbahnhof
Schöneweide

Schlosspl.
Köpenick

Krankenhaus
27 67 Köpenick

1) Kurfürstenstraße U1
2) Bülowstraße U2
3) Mohrenstraße U2
4) Hausvogteiplatz U2
5) Märkisches Museum U2
6) Augsburger Straße U3
7) Viktoria-Luise-Platz U4
8) Französische Straße U6
9) Weinmeisterstraße U8
10) Nordbahnhof S
11) Oranienburger Straße S
12) Hackescher Markt S

Parchimer Allee

60

Johannisthal, Haeckelstr.

Karl-Ziegler-Str.
61 63

Adlershof

Dahme

Britz-Süd

Johannisthaler
Chaussee

Zwickauer Damm

62 Wendenschloß

Lipschitzallee

Wutzkyallee

Grünau
S85

Rudow U7

Berlin
Brandenburg

Berlin
Brandenburg

68

Altglienicke

S8 Zeuthen
S46 Königs
Wusterhausen

S9·S45
Flughafen Berlin-Schönefeld

Grünbergallee

Cottbus

U1/U3 Hallesches Tor – A3L71 #656

densten Linienführungen, weshalb es auch immer wieder zu Anpassungen der einzelnen Linien kam.

Während das Kleinprofilnetz von der privaten Hochbahngesellschaft betrieben wurde, begann die Stadt Berlin 1912 ihre erste eigene Linie, die „Nord-Süd-Bahn" (heute U6), zu bauen. 1913 fingen auch die Arbeiten an der sog. GN-Bahn, der von der AEG initiierten Strecke von Gesundbrunnen nach Neukölln (heute U8), an. Beide Strecken waren der Anfang des **Großprofilnetzes**, auf dem nun 2,65 m breite Fahrzeuge und eine von unten bestrichene Stromschiene zum Einsatz kam. Wie bei den Kleinprofilstrecken beträgt die Spurweite 1435 mm. Die Bauarbeiten an den beiden Linien kamen jedoch durch den 1. Weltkrieg zum Erliegen, so dass die erste Großprofillinie (U6) erst 1923 in Betrieb genommen werden konnte. In den 1920er Jahren folgte ein wahrhafter U-Bahn-Bauboom, der den Berlinern neben der neuen „Nord-Süd-Bahn", inklusive Abzweig nach Neukölln (heute Teil der U7), auch noch die ersten Abschnitte der heutigen U5 und U8 bescherte. Während die Bahnhöfe der U6 meist noch wie bei den Kleinprofillinien direkt unter der Oberfläche ohne Zwischengeschosse und mit einer Länge von nur 81 m errichtet worden waren, baute man bei den beiden anderen Großprofillinien erstmals Verteilergeschosse, um die Ausgänge an den Straßenrändern und nicht wie bisher in Straßenmitte anordnen zu können, und 120-130 m lange Bahnsteige.

Nachdem das Berliner U-Bahn-Netz 1930 eine Gesamtlänge von 76 km erreicht hatte, gab es wegen der Wirtschaftskrise und des 2. Weltkriegs bis in die 1950er Jahre keine Netzerweiterungen. Als erstes wurde die U6 nach Tegel verlängert, dann folgte die neue Linie U9, die angesichts

were only built large enough for 2.3 m wide trains (now 2.4 m). The platforms were initially only 90 m long, but were later extended to 110 m for the use of 8-car trains. Power has always been collected from the upper side of a third rail. The small-profile network was later extended slightly until it reached its present length of 43.5 km. The track layout at Wittenbergplatz and Nollendorfplatz allows various line workings, and in fact there have been many line changes in the past.

While the small-profile lines were operated by a private company, the city began to build its own line in 1912, namely the 'Nord-Süd-Bahn' (north-south line, now U6). In 1913, the construction of the so-called 'GN-Bahn' also started; this line was an AEG project which was to run from Gesundbrunnen to Neukölln (now U8). These two lines were the beginning of the **large-profile network**, which allowed the use of 2.65 m wide cars and introduced a third rail with power being collected from the lower side. Both small-profile and large-profile lines share the same track gauge, the standard 1435 mm. Construction on the two new lines was interrupted by World War I, and the first large-profile line (today's U6) only opened in 1923. The 1920s then brought a real construction boom, resulting in two more lines (the initial sections of today's lines U5 and U8), plus a branch off the north-south line to Neukölln (now part of line U7). Whereas the stations on line U6 were mostly built just below street level without mezzanines like those on the small-profile lines, the later lines had intermediate levels to place the exits on the sides of the street above rather than in the middle. Platform lengths were now fixed at 120-130 m.

U7 Südstern – F87 #2824

der faktischen Teilung der Stadt bereits als reine West-Berliner Linie konzipiert war. Ihre Inbetriebnahme erfolgte 1961 wenige Wochen nach dem Bau der Berliner Mauer.

Die endgültige Teilung der Stadt hatte auch erhebliche Konsequenzen für das U-Bahn-Netz. Während die U1 am Bahnhof Schlesisches Tor gekappt und die U2 am Potsdamer Platz in zwei Linien geteilt wurde, verwandelten sich die Bahnhöfe der U6 (außer Friedrichstraße) und U8 auf Ost-Berliner Gebiet für 29 Jahre in Geisterbahnhöfe, die ohne Halt von den West-Berliner Zügen durchfahren wurden. Im Ostteil der Stadt verblieben lediglich die Strecken Mohrenstraße – Vinetastraße (heute U2) und Alexanderplatz – Friedrichsfelde (heute U5). In der geteilten Stadt entwickelte sich das U-Bahn-Netz sehr unterschiedlich. Während man im Osten auf den Ausbau der S-Bahn und der Straßenbahn setzte, wurde im Westen die Straßenbahn im Jahr 1967 komplett stillgelegt, die von Ost-Berlin betriebene S-Bahn boykottiert und stattdessen der U-Bahn-Bau vorangetrieben. Grundlage dafür war der in den 1950er Jahren ausgearbeitete 200-km-Plan, der im Prinzip auch heute noch gültig ist. In den 1960er und 1970er Jahren entstand die neue Linie U7 (die heutigen Liniennummern lösten 1966 die früher benutzten Linienbuchstaben ab), gleichzeitig wurde die U9 an beiden Enden verlängert. Nachdem die U7 im Jahr 1984 ihre heutige Länge erreicht hatte, wurde die U8 nach Norden erweitert. In Ost-Berlin hingegen wurde lediglich die Friedrichsfelder Linie (heute U5) 1973 um eine Station bis Tierpark erweitert. Erst als die Kapazität der S-Bahn an ihre Grenzen gestoßen war, entschloss man sich, diese U-Bahn-Linie oberirdisch zu den neuen Wohnsiedlungen in Hellersdorf zu verlängern.

With the Berlin U-Bahn network having reached a total length of 76 km by 1930, there was no more expansion until the 1950s due to the economic crisis and World War II. The first line to be extended after the war was line U6 to Tegel, followed by the new U9, which was actually conceived as the first line exclusively for West Berlin. It opened in 1961, only a few weeks after the Berlin Wall had been erected.

The ultimate division of the city led to a number of important changes to the U-Bahn network. Line U1 was curtailed at Schlesisches Tor and line U2 was severed at Potsdamer Platz, resulting in two separate lines. All the stations on East Berlin territory along lines U6 (except Friedrichstraße) and U8 were turned into ghost stations for 29 years, which West Berlin trains passed through without stopping. The eastern part of the city was only left with two U-Bahn lines, one from Mohrenstraße to Vinetastraße (now U2), and another one from Alexanderplatz to Friedrichsfelde (now U5). In the divided city, the development of the U-Bahn saw two different approaches: whereas in the East the emphasis was put on the expansion of the S-Bahn and tram networks, in the West the tram system had been abandoned completely by 1967, and the S-Bahn, operated by the East German Reichsbahn, was boycotted; instead, U-Bahn construction was given priority. The expansion of the U-Bahn was based on the so-called '200 km master plan', designed during the 1950s and basically still in force today. The 1960s and 1970s saw the new line U7 (the line numbers replaced the former line letters in 1966), while line U9 was extended at both ends. Once line U7 had reached its present length

Vier Monate nachdem die U5 ihren östlichen Endpunkt Hönow erreicht hatte, fiel am 9. November 1989 die Berliner Mauer. Bis Juli 1990 wurden alle ehemaligen Geisterstationen auf den Transitstrecken der U6 und U8 wieder geöffnet. Die Lückenschlüsse der durch die Mauer unterbrochenen Linien mussten noch einige Jahre warten: Seit 1993 fährt die U2 wieder durchgehend über Potsdamer Platz und seit 1995 überquert auch die U1 wieder die Oberbaumbrücke. Ansonsten lag in den 1990er Jahren der Schwerpunkt auf dem Wiederaufbau des S-Bahn-Netzes, während bei der U-Bahn lediglich kleine Ergänzungen hinzukamen, die vor allem einer besseren Gesamtnetzbildung dienten: 1994 Paracelsus-Bad – Wittenau, 1996 Leinestraße – Hermannstraße (beide U8) und 2000 Vinetastraße – Pankow (U2).

Der Beschluss, den Regierungssitz wieder von Bonn in die alte Hauptstadt zu verlegen, enthielt eine Westverlängerung der U5 zum Anschluss des neuen Regierungsviertels und des neuen Hauptbahnhofs. Dabei kam es immer wieder zu Verzögerungen, lediglich der Abschnitt durch das Regierungsviertel wurde im Zuge der anderen Bautätigkeiten mitgebaut. Seit 2009 wird der Abschnitt Hauptbahnhof – Brandenburger Tor als U55 im Pendelverkehr betrieben. Das fehlende Teilstück von Brandenburger Tor bis Alexanderplatz soll frühestens Ende 2020 in Betrieb gehen, so dass die U5 dann vom Hauptbahnhof bis Hönow durchfahren kann.

Andere, durchaus sinnvolle Netzerweiterungen, deren Planung vor der Wende weit fortgeschritten war, wie z.B. die U8 ins Märkische Viertel oder die U9 nach Lankwitz bzw. zum Klinikum Steglitz, sind aus Geldmangel in weite Ferne gerückt. Mit geringem Aufwand könnte der Gesamtnetzeffekt wesentlich verbessert werden, wenn man etwa die U1 von Uhlandstraße bis Halensee, die U3 von Krumme Lanke bis Mexikoplatz oder die U5 vom Hauptbahnhof bis Turmstraße verlängern würde. Allerdings werden auch in Berlin angesichts der „wachsenden Stadt" Vorschläge zum Ausbau des U-Bahn-Netzes in letzter Zeit wieder salonfähig, so erscheint etwa eine Verlängerung der U7 zum zukünftigen Flughafen BER immer häufiger in den lokalen Medien.

in 1984, line U8 was extended northwards. In East Berlin, the only change was the extension of the Friedrichsfelde line (U5) by one station to Tierpark in 1973. However, the capacity of the S-Bahn eventually reached its limit, and new housing estates in Hellersdorf were eventually linked by a surface U-Bahn extension.

Four months after line U5 had been extended to Hönow, the Berlin Wall collapsed on 9 November 1989. By July 1990, all the ghost stations on lines U6 and U8 had been re-opened, but it took several years for the severed routes to be re-connected: in 1993, line U2 began through-operation via Potsdamer Platz, and in 1995, line U1 returned to the Oberbaumbrücke to reach Warschauer Straße. During the 1990s, however, priority was given to the reconstruction of the S-Bahn network, and only some short but important extensions were built for the U-Bahn: in 1994, Paracelsus-Bad – Wittenau, in 1996, Leinestraße – Hermannstraße (both on line U8), and in 2000, Vinetastraße – Pankow (U2).

The decision to transfer the seat of the federal government from Bonn to Berlin included a western U5 extension from Alexanderplatz to serve the new government district as well as the new central railway station. This project has suffered many delays, and initially only the section through the government district was built as part of the overall infrastructure of the area. Since 2009, a shuttle service has been operating between Hauptbahnhof and Brandenburger Tor as line U55. The middle section between Brandenburger Tor and Alexanderplatz may open in late 2020 at the earliest, when line U5 will finally be able to run all the way from Hauptbahnhof to Hönow.

Several other projects which had reached an advanced stage of planning when the Wall came down have been shelved due to Berlin's financial constraints, although some extensions, like line U8 to Märkisches Viertel or line U9 to Lankwitz and Klinikum Steglitz, would certainly be useful. A U1 extension from Uhlandstraße to Halensee, a U3 extension from Krumme Lanke to Mexikoplatz or a U5 extension from Hauptbahnhof to Turmstraße would not require a large investment, but would improve the overall network layout considerably. In view of the steady population increase, however, there have been frequent reports in the local media recently about proposals for the expansion of the U-Bahn network, for example, a U7 extension to the future BER airport.

U5 Kaulsdorf Nord – H #5041

U5 Hönow – IK17 #1036

U-Bahn-Fahrzeuge

Bei der Berliner U-Bahn sind derzeit sechs verschiedene Zugtypen im Einsatz. Bei den älteren Wagentypen (A, F, GI) handelt es sich um Doppeltriebwagen (DT), also um zwei fest miteinander verbundene Wagen, während die neueren Züge (H, HK, IK) aus mehreren durchgehend begehbaren Wagen bestehen.

Im **Kleinprofilnetz** verkehren vorwiegend 8-Wagen-Züge (103 m lang) vom Typ **A3/A3L**, der von 1960 bis 1995 in mehreren Serien gebaut wurde. Die ältesten Fahrzeuge, die heute noch im Einsatz sind, stammen aus dem Jahr 1964; sie wurden Anfang der 2000er Jahre ertüchtigt. In den 1970er Jahren wurde in der DDR der Typ **GI** (nur ein Führerstand pro DT) entwickelt, der bis 1989 gebaut wurde und heute noch in umgebauter Form vor allem auf der U2 zu sehen ist. Ab 2001 verkehrten auch vorwiegend auf der U2 vier Prototypen des Typs **HK**, ein aus vier durchgängig begehbaren Wagen bestehender Zug (51,6 m), der normalerweise in Doppeltraktion im Einsatz ist. Die Serienlieferung erfolgte jedoch erst 2006/2007. Ähnlich konzipiert ist der neueste Zugtyp **IK**, der ab 2015 getestet wurde. Dieser unterscheidet sich vor allem durch seine optimierte Breite. Die erste Lieferung (IK17) kommt allerdings vorerst, versehen mit seitlichen „Blumenbrettern", auf der U5 zum Einsatz, während die zweite Lieferung (IK18) wiederum auf der U2 unterwegs ist.

Die Kleinprofilzüge werden in der Betriebswerkstatt Grunewald am U-Bhf Olympia-Stadion (U2) gewartet. Eine größere Abstellanlage steht außerdem am U-Bhf Warschauer Straße (U1/U3) zur Verfügung.

Im **Großprofilnetz** werden vorwiegend 6-Wagen-Züge vom Typ F und H eingesetzt (Wagenbreite 2,65 m). Während es sich beim Typ **F** mit seinen verschiedenen über einen Zeitraum von 20 Jahren gelieferten Untertypen um einen Doppeltriebwagen handelt, wurde der Typ **H** als erster durchgehend begehbarer 6-Wagen-Zug (98,7 m) konzipiert. Aus Mangel an Fahrzeugen wurden 2016 für die U55 drei DTs des Typs **D** ertüchtigt. Eine Ausschreibung zur Beschaffung einer großen Anzahl an Großprofilzügen ist im Gange.

Für die Großprofilzüge stehen die Betriebswerkstätten Britz (U7) und Friedrichsfelde (U5) zur Verfügung. Zahlreiche nicht überdachte Aufstellgleise findet man in Hönow (U5). Größere Reparaturen und Wartungsarbeiten sowohl von Groß- als auch von Kleinprofilwagen werden in der Hauptwerkstatt Seestraße (U6) durchgeführt.

U-Bahn Rolling Stock

The Berlin U-Bahn is operated with six different types of train. The older types (A, F, GI) are made up of permanently coupled 2-car units (married pairs), while the newer trains (H, HK, IK) consist of several cars with gangways between them.

The **small-profile network** is mostly operated with class **A3/A3L** rolling stock. A full-length 8-car train is 103 m long. The oldest cars in operation are from 1964 and were refurbished in the early 2000s. In the 1970s, the GDR developed the class **GI** stock (with just one driver's cab per married pair), which, having undergone some refurbishment, can still regularly be seen on line U2. Also mainly on line U2, four prototypes of class **HK** stock began service in 2001. These are 4-car units (51.6 m) with gangways between cars which normally operate in double units. The serial-production trains, however, were only delivered in 2006/07. The latest addition to the small-profile stock is the **IK** train, which has a similar set-up to that of the HK train, but is slightly wider. With the prototypes having started their testing phase in 2015, however, the first serial-production trains (IK17) were assigned to line U5 where they operate with side boards to bridge the gap between train and platform. The second batch (IK18) is in service on line U2.

The small-profile trains are serviced at the Grunewald workshops next to Olympia-Stadion station on line U2. A large stabling facility is available at Warschauer Straße (U1/U3).

The **large-profile network** is mostly served by 6-car trains, either of class F or class H, both of which is 2.65 m wide. Whereas the F stock, delivered in various series over a period of 20 years, consists of standard 2-car units, the H train was the first of the walk-through type (98.7 m long). To tackle the shortage of rolling stock, three pairs of the old D stock were reactivated in 2016 for use on line U55. The purchase of a considerable number of large-profile trains is in the tendering process.

The routine maintenance of large-profile trains is carried out at the depots in Britz (U7) and Friedrichsfelde (U5), and numerous open-air stabling sidings are available at Hönow (U5). For major repair work, both large and small-profile trains are transferred to the main workshops at Seestraße (U6).

Fahrzeuge | Rolling Stock

Nummer *Number*	Anzahl *Quantity*	Hersteller *Manufacturer*	Typ *Class*	Länge *Length*	Breite *Width*	Ausgeliefert *Delivered*
U1-U4:						
482...537	28 (x2)[1]	Orenstein & Koppel, Waggon-Union	A3E	25.7 m	2.30 m	1964-1966[2]
656...789	50 (x2)[1]	Orenstein & Koppel	A3L71	25.7 m	2.30 m	1971-1973
640...655	8 (x2)[1]	Waggon-Union	A3L82	25.7 m	2.30 m	1982-1983
538...639	50 (x2)[1]	ABB Henschel	A3L92	25.7 m	2.30 m	1993-1995
1070-1094	25 (x4)	LEW Hennigsdorf	GI/1E	51.2 m	2.30 m	1988-1989[3]
1001-1024	24 (x4)	Bombardier	HK	51.6 m	2.30 m	2001, 2006-2007
1025-1026	2 (x4)	Stadler Pankow	IK15	51.6 m	2.40 m	2015
1038-1064	27 (x4)	Stadler Pankow	IK18	51.6 m	2.40 m	2018-2019
U5-U9:						
2000...2247[4]	3 (x2)[1]	Orenstein & Koppel	D57/D68	31.7 m	2.65 m	1956-1968
2502...2711	101 (x2)[1]	Orenstein & Koppel, Waggon-Union	F74/F76/F79	32.1 m	2.65 m	1973-1980
2724...3013	144 (x2)[1]	Waggon-Union/AEG	F84/F87/F90/F92	32.1 m	2.65 m	1984-1993
5001-5046	46 (x6)	ABB Henschel/Adtranz/Bombardier	H95/H97/H01	98.7 m	2.65 m	1995, 1998-2002
1027-1037	11 (x6)	Stadler Pankow	IK17[5]	51.6 m	2.40 m [5]	2017
bestellt | *ordered*	20 (x4)	Stadler Pankow	*IK19*[5]	51.6 m	2.40 m [5]	*2019-*

1) Doppeltriebwagen | *married pairs*; 2) ertüchtigt | *refurbished* 2001-05; 3) ertüchtigt | *refurbished* 2005-09; 4) 2000/2001, 2020/2021, 2246/2247
5) mit Spaltüberbrückungen für den Einsatz im Großprofilnetz (sog. „Blumenbretter") | *with side boards for service on the large-profile network*

U1/U3 Prinzenstraße – A3L71 #750

U1 Warschauer Straße – Uhlandstraße   U3 Warschauer Straße – Krumme Lanke

Seit dem 8. Mai 2018 verkehren die Linien U1 und U3 gemeinsam auf dem Abschnitt zwischen Warschauer Straße und Wittenbergplatz, wobei zwei von drei Zügen Richtung Krumme Lanke weiterfahren. Einen ähnlichen Mischbetrieb gab es auch früher immer wieder, zuletzt zwischen 1993 und 2004, als jedoch der Ast nach Krumme Lanke die Bezeichnung U1 trug, während der Abzweig zur Uhlandstraße als U15 beschildert war. Von 2004 bis Mai 2018 endete die U3 am Nollendorfplatz.

Am Wittenbergplatz halten die Züge der U1 und U3 Richtung Westen auf demselben Gleis, Richtung Osten steht jeder Linie ein eigenes Gleis zur Verfügung, was jedoch zur Folge hat, dass nur zwischen U2 und U3 in beiden Richtungen bequem am selben Bahnsteig umgestiegen werden kann. Spätabends, nachts und frühmorgens verkehrt die U3 nur zwischen Nollendorfplatz und Krumme Lanke.

Der gemeinsam befahrene Abschnitt besteht aus der Hochbahnstrecke durch Kreuzberg, welche 1902 Teil der ersten Berliner U-Bahn-Linie war, sowie aus der sog. „Entlastungsstrecke". Bis zum 2. Weltkrieg gab es direkt am Ostufer der Spree an der Oberbaumbrücke die Station Stralauer Thor (später Osthafen).

Nach einem schweren Unfall wurde das ursprüngliche Gleisdreieck umgebaut und es entstand 1912 der heutige Turmbahnhof. Die Entlastungsstrecke über Kurfürstenstraße und Nollendorfplatz zum Bahnhof Gleisdreieck wurde allerdings erst 1926 fertiggestellt. Westlich des Bahnhofs Gleisdreieck verschwindet die U-Bahn noch in Hochlage im „Tunnel", die eingehauste Rampe überquert die Dennewitzstraße und erreicht erst in den Hinterhöfen der Bebauung zwischen

Since 8 May 2018, the section between Warschauer Straße and Wittenbergplatz has been shared by lines U1 and U3, with two out of three trains normally continuing to Krumme Lanke. A similar mixed service had existed in the past, most recently between 1993 and 2004, when the Krumme Lanke leg, however, was served by line U1 while the Uhlandstraße branch was labelled U15. From 2004 until May 2018, line U3 terminated at Nollendorfplatz.

At Wittenbergplatz, lines U1 and U3 share the same track in the westbound direction, but have their own track in the eastbound direction; cross-platform interchange in both directions is thus only provided between lines U2 and U3. During late evenings, night time and early mornings, line U3 only operates between Nollendorfplatz and Krumme Lanke.

The shared section consists of the elevated route through Kreuzberg, which was part of Berlin's first metro line, as well as the so-called 'relief line'. Up until World War II there was an additional station called Stralauer Thor (later Osthafen) on the eastern shore of the River Spree, adjacent to the Oberbaumbrücke.

After a serious accident, the original track triangle (Gleisdreieck) was rebuilt, and the present station opened in 1912. The new link between Gleisdreieck and Wittenbergplatz via Nollendorfplatz, however, only opened in 1926. West of Gleisdreieck, the U-Bahn disappears into an elevated 'tunnel', an encased ramp that runs across Dennewitzstraße before actually going underground in the backyards of the houses between Kurfürstenstraße and Pohlstraße. In 1926, a 2-level

U3 Dahlem-Dorf

U1/U3 **Warschauer Straße** – A3L71 #762

Kurfürstenstraße und Pohlstraße die einfache Tiefenlage. Am Nollendorfplatz entstand 1926 eine gemeinsame doppelstöckige Station mit der „Schöneberger U-Bahn" (U4).

Vom Wittenbergplatz fährt die U1 weiter nach Westen unter dem Kurfürstendamm und endet am Bahnhof Uhlandstraße. Der U-Bahnhof Kurfürstendamm wurde erst 1961 als Umsteigestation zur U9 eingebaut. Die sog. „Kurfürstendamm-Linie" sollte ursprünglich entlang des Kurfürstendamms Richtung Halensee und Grunewald verlängert werden. Am Adenauerplatz wurde beim Bau der U7 in den 1970er Jahren der Bahnsteig für diese Verlängerung mitgebaut. Nach den letzten offiziellen Planungen würde die Strecke vom Adenauerplatz Richtung Messe und Theodor-Heuss-Platz weiterführen. Dieser Abschnitt wäre langfristig Teil einer Durchmesserlinie, die vom Wittenbergplatz über Potsdamer Platz (wo in den 1990er Jahren ein U-Bahnhof als Bauvorleistung quer über dem neuen Regionalbahnhof gebaut wurde), Alexanderplatz (wo neben der U5 bereits seit 1930 die Gleise liegen) und S-Bahnhof Greifswalder Straße nach Weißensee weiterführen sollte. Diese Achse war jedoch in den 1960er Jahren auch als nördlicher Abschnitt der sog. Linie 10 entlang der Potsdamer Straße nach Steglitz vorgesehen.

underground station shared today by lines U1/U3 and the 'Schöneberger U-Bahn' (U4) was opened at Nollendorfplatz.

From Wittenbergplatz, line U1 continues west along Kurfürstendamm before terminating at Uhlandstraße. Kurfürstendamm station was only added in 1961 to provide transfer to the new U9. An extension along Kurfürstendamm to Halensee and Grunewald had once been planned, but besides the station shell built at Adenauerplatz in the 1970s in conjunction with the construction of line U7, nothing has materialised. According to the last official plans, the line was to continue from Adenauerplatz towards Theodor-Heuss-Platz, serving the trade fair grounds. This could actually become part of a long cross-city line that would continue from Wittenbergplatz to Weißensee, via Potsdamer Platz (where a full station was built perpendicularly above the new railway station during the 1990s), Alexanderplatz (where tracks have been available next to the U5 tracks since 1930), and S-Bahn station Greifswalder Straße. During the 1960s, the northeastern leg was part of a planned line 10, which was to run south from Potsdamer Platz to Steglitz.

U1 U3

19.9 km, 26 Bahnhöfe | *stations* (14 oberird. | *above ground*)
  U1: 8.8 km (5.7 km Viaduktstrecke | *elevated*)
  U3: 18.7 km (10.7 km oberirdisch | *above ground*)
  U1+U3: 7.7 km Wittenbergplatz – Warschauer Straße gemeinsam | *shared*

18-02-1902 [Potsdamer Platz –] Möckernbrücke – Osthafen
      (Stralauer Thor)
17-08-1902 Osthafen – Warschauer Straße
03-11-1912 + Gleisdreieck
12-10-1913 Wittenbergplatz – Uhlandstraße
12-10-1913 Wittenbergplatz – Freie Universität (Thielplatz)
24-10-1926 Gleisdreieck – Wittenbergplatz (via Kurfürstenstr.)
22-12-1929 Freie Universität (Thielplatz) – Krumme Lanke
      1945 [X] Osthafen (Stralauer Thor)
      1959 [X] Nürnberger Platz
02-06-1959 + Spichernstraße
08-05-1961 + Augsburger Straße
02-09-1961 + Kurfürstendamm
13-08-1961 [X] Schlesisches Tor – Warschauer Straße
14-10-1995 Schlesisches Tor – Warschauer Straße*

[X] Schließung | *Closure*
* Wiederinbetriebnahme | *Re-opening*

U3 **Freie Universität (Thielplatz)** – A3L92 #588

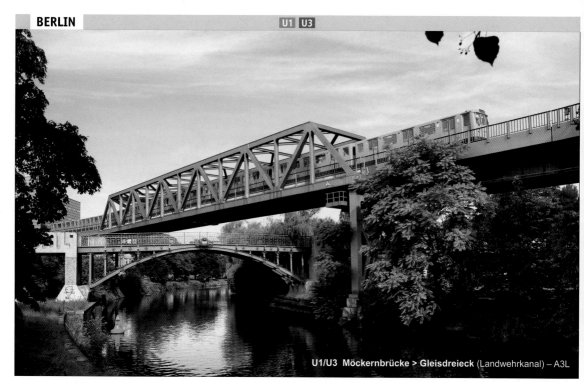

U1/U3 Möckernbrücke > Gleisdreieck (Landwehrkanal) – A3L

Neben der oben erwähnten gemeinsam mit der U1 befahrenen Strecke befährt die heutige U3 die sog. „Wilmersdorf-Dahlemer Schnellbahn", die 1913 als Abzweig der Stammstrecke von 1902 durch die damals noch unabhängige Stadt Wilmersdorf unterirdisch und durch die benachbarte Domäne Dahlem im offenen Einschnitt gebaut wurde. Die Dahlemer Strecke wurde 1929 bis zu ihrem heutigen Endpunkt Krumme Lanke verlängert. Im Zuge des Baus der U9 wurde 1959 die ehemalige Station Nürnberger Platz durch die etwa 200 m weiter westlich gelegene neue Umsteigestation Spichernstraße ersetzt. Wegen der großen Entfernung zum Wittenbergplatz wurde 1961 der U-Bahnhof Augsburger Straße in die bestehende Strecke eingefügt. Der Vorschlag für eine kurze Verlängerung von Krumme Lanke zum S-Bahnhof Mexikoplatz taucht immer wieder auf.

Mit dem Bau der Berliner Mauer im August 1961 endete der Verkehr auf der ehemaligen Linie B am Bahnhof Schlesisches Tor, erst 1995 konnte die Verbindung über

Besides the above-mentioned shared section, today's line U3 also operates on what is known as the 'Wilmersdorf-Dahlemer Schnellbahn', a branch opened in 1913. It runs underground through the once independent town of Wilmersdorf, and in a cutting through the Dahlem estate. The Dahlem line was extended to its present terminus Krumme Lanke in 1929. To provide transfer to the new line U9, the former Nürnberger Platz station was replaced by Spichernstraße station some 200 m further west in 1959. Due to the long distance from Wittenbergplatz, a new station called Augsburger Straße was added in 1961. A short extension from Krumme Lanke to S-Bahn station Mexikoplatz has repeatedly been proposed.

The erection of the Berlin Wall in August 1961 meant that the former line B had to terminate at Schlesisches Tor; cross-river service over the rebuilt Oberbaumbrücke to today's terminus Warschauer Straße was only resumed in 1995. From there, the line was once planned to be extended to Frankfurter Tor to provide transfer to line

U1/U3 Wittenbergplatz – A3 64/66E #492 (ex 902)

U1 Uhlandstraße

U1/U3 Kottbusser Tor – A3L71 #721

die Oberbaumbrücke zum heutigen Endpunkt Warschauer Straße wieder in Betrieb genommen werden. Von hier war lange Zeit eine Verlängerung bis Frankfurter Tor geplant, um eine Umsteigemöglichkeit zur U5 zu schaffen. Beim kürzlichen Neubau des S-Bahnhofs Warschauer Straße wurde diese Option allerdings nicht berücksichtigt. Stattdessen wurde 2014 die Idee einer Verlängerung zum Ostkreuz vorgestellt.

U5, but this option was not taken into account when Warschauer Straße S-Bahn station was rebuilt in recent years. Instead, an extension to Ostkreuz was proposed in 2014.

U3 Krumme Lanke

U3 Podbielskiallee

U1/U3 Gleisdreieck – A3L92 #539

U3 Heidelberger Platz – A3L71 #493 (ex 903)

U1/U3 Nollendorfplatz – A3L71 #763

U4 Innsbrucker Platz – A3 64/66E #487 & A3L71 #671

U4 Nollendorfplatz – Innsbrucker Platz

Die heutige U4 wurde als unabhängige Linie von der einst selbständigen und wohlhabenden Stadt Schöneberg nach den Parametern der ersten Berliner U-Bahn-Strecke gebaut, jedoch von Anfang an von der *Hochbahngesellschaft* betrieben. Die U4 verläuft nicht entlang der Schöneberger Hauptstraße, sondern weiter westlich, wo neue Wohngebiete erschlossen werden sollten. Bis 1926, als für die „Entlastungsstrecke" am Nollendorfplatz ein neuer unterirdischer Bahnhof für die heutigen Linien U1, U3 und U4 gebaut wurde, war die „Schöneberger U-Bahn" nicht mit dem Hochbahnnetz verbunden, sondern endete in einem unterirdischen Bahnhof auf der Südseite des Hochbahnhofs. Später fuhren die Züge zeitweise vom Innsbrucker Platz über Nollendorfplatz weiter Richtung Warschauer Straße.

Trotz verschiedenster Pläne für Verlängerungen an beiden Enden wurde die U4 seit ihrer Inbetriebnahme im Jahr 1910 nie erweitert. Langfristig könnte sie im Norden um eine Station zur Genthiner Straße (Magdeburger Platz) verlängert werden, wo ein Umsteigebahnhof zur angedachten Linie Kurfürstendamm – Weißensee vorgesehen wäre (siehe U1/U3).

Auf der U4 sind derzeit meist nur 2-Wagen-Züge im Einsatz. Diese verkehren tagsüber alle 10 Minuten, in der Hauptverkehrszeit alle 5 Minuten. Anders als bei den übrigen Linien (außer U55) wird auf der U4 kein Wochenendnachtverkehr angeboten.

Today's line U4 was built by the once independent and wealthy city of Schöneberg as a separate line, though following the parameters applied for the first Berlin U-Bahn route. From the start, it was operated by the Berlin 'Hochbahngesellschaft'. Line U4 does not follow Schöneberg's main street (Hauptstraße), but was aligned further west to serve new neighbourhoods. Up until 1926, when a new underground station was built at Nollendorfplatz for the so-called 'relief line' to be shared by today's U1, U3 and U4, the Schöneberg line was not physically connected to the Berlin lines and terminated underground at the southern side of the Nollendorfplatz elevated station. Its integration into the new station allowed trains departing from Innsbrucker Platz to continue beyond Nollendorfplatz towards Warschauer Straße, which was done for some years.

Despite various plans for extensions at either end, line U4 has never been extended since it first opened in 1910. In the long term, it may continue one station northwards to Genthiner Straße (Magdeburger Platz), where an interchange would be built for the proposed line from Kurfürstendamm to Weißensee (see U1/U3).

Line U4 is mostly operated with 2-car trains. During normal daytime service, they operate every 10 minutes, and during peak hours, every 5 minutes. Unlike the other U-Bahn lines (except U55), line U4 does not provide a night service at weekends.

U4   2.9 km
5 Bahnhöfe | stations

01-12-1910 Nollendorfplatz – Innsbrucker Platz

U2 Märkisches Museum – IK15 #1025

U2 Ruhleben – Pankow

Die Kleinprofillinie U2 geht auf die älteste Berliner Untergrundbahnstrecke zurück, welche 1902 zwischen Ernst-Reuter-Platz (damals „Knie") und Wittenbergplatz in Betrieb genommen wurde. Zur ersten Stammstrecke gehörte auch der Hochbahnabschnitt vom Nollendorfplatz über Gleisdreieck bis zu einer provisorischen unterirdischen Haltestelle Potsdamer Platz neben dem damaligen Potsdamer Bahnhof. Sechs Jahre später folgte eine unterirdische Verlängerung vom heutigen U-Bahnhof Potsdamer Platz bis Spittelmarkt. 1912 wurde der U-Bahnhof Gleisdreieck an der Verzweigung der drei ursprünglichen Äste eingebaut, so dass hier nun Richtung Kreuzberg und Warschauer Straße umgestiegen werden musste. 1913 erreichte die U-Bahn schließlich den S-Bahn-Nordring.

Auf Charlottenburger Seite wurde die Stammstrecke 1906 bis Deutsche Oper und von dort nach Norden zum Wilhelmplatz (heute Richard-Wagner-Platz an der U7) verlängert. Zwei Jahre später folgte auch die heutige Strecke zum Theodor-Heuss-Platz (einst „Reichskanzlerplatz"). Der Bahnhof Olympia-Stadion wurde von 1913 bis 1922 nur bei Veranstaltungen bedient.

Bis 1966 war die heutige U2 Teil der Linie A, die im Westen mehrere Äste aufwies, nämlich nach Ruhleben bzw. zum Wilhelmplatz und nach Krumme Lanke. Infolge des Baus der Berliner Mauer im August 1961 wurde diese wichtige Strecke am Potsdamer Platz zweigeteilt: Auf der Ostseite wurde eine separate Linie von Mohrenstraße (damals erst „Thälmannplatz", dann „Otto-Grotewohl-Straße") bis Vinetastraße eingerichtet. Auf der Westseite fuhren die

The small-profile line U2 includes the first underground section opened in Berlin, that between Ernst-Reuter-Platz (then Knie) and Wittenbergplatz, which dates back to 1902. Also part of the 1902 route was the elevated section from Nollendorfplatz via Gleisdreieck to Potsdamer Platz, where a temporary underground station was built adjacent to the former mainline station Potsdamer Bahnhof. Six years later, the U-Bahn line was extended underground from the permanent Potsdamer Platz station to Spittelmarkt. In 1912, Gleisdreieck station was added at what used to be a triangular junction, so passengers going to and from Warschauer Straße had to change trains. By 1913, the U-Bahn line had reached the northern S-Bahn ring.

At the Charlottenburg end, the original route was extended to Deutsche Oper in 1906, and from there northwards to Wilhelmplatz (now Richard-Wagner-Platz on the U7). Today's U2 section to Theodor-Heuss-Platz (then Reichskanzlerplatz) followed two years later. From 1913 until 1922, the station at the Olympic Stadium was only served during major events.

Until 1966, today's line U2 was part of line A, which had various western branches: to Ruhleben, Wilhelmplatz and Krumme Lanke. The erection of the Berlin Wall in August 1961 resulted in the line being split at Potsdamer Platz: On the eastern side, a separate line was established between Mohrenstraße (then Thälmannplatz and later Otto-Grotewohl-Straße) and Vinetastraße; on the western side, trains terminated at Gleisdreieck until

U2 Pankow – GI #1090

U2 Eberswalder Straße – A3L 92 #554

Züge bis 1972 noch bis Gleisdreieck, dann wurde der Abschnitt Wittenbergplatz – Gleisdreieck wegen der parallelen Linie nach Kreuzberg stillgelegt, während die Bahnhöfe Nollendorfplatz und Bülowstraße als Flohmarkt bzw. Basar genutzt wurden. Während die U1 nun von Ruhleben bis Schlesisches Tor verkehrte, trugen die Züge von Wittenbergplatz nach Krumme Lanke die Bezeichnung U2.

Nachdem der Abzweig von Deutsche Oper zum Richard-Wagner-Platz (seit 1966 als Linie 5 bezeichnet) wegen des Baus der U7 bereits 1970 geschlossen worden war, wurde 1978 der Umsteigebahnhof Bismarckstraße nur 380 m vom U-Bahnhof Deutsche Oper entfernt eröffnet.

Vom unteren Bahnsteig Gleisdreieck führte ab 1984 eine Teststrecke für die M-Bahn (vollautomatische Magnetbahn) über das brachliegende Areal des Potsdamer Platzes bis zum Kemperplatz an der Philharmonie. Kurz nach Beginn des regelmäßigen Fahrgastbetriebs im Juli 1991 wurde die M-Bahn jedoch wieder abgebaut, denn mittlerweile war die Berliner Mauer gefallen und der Wiederaufbau der durchgehenden U2 als vorrangig eingestuft worden. Seit 1993 fährt die U2 nun von Ruhleben bis Vinetastraße und seit 2000 auf der einzigen Kleinprofil-Neubaustrecke nach

1972, when the Wittenbergplatz – Gleisdreieck section was closed due to the parallel line to Schlesisches Tor, and the intermediate stations Nollendorfplatz and Bülowstraße were used as a flea-market and bazaar, respectively. So while the trains from Ruhleben to Schlesisches Tor were labelled U1, the route from Wittenbergplatz to Krumme Lanke became line U2.

After the closure of the short branch from Deutsche Oper to Richard-Wagner-Platz (designated line 5 from 1966) in 1970 to allow for the construction of line U7, a new transfer station opened on the present U2 at Bismarckstraße, only 380 m from Deutsche Oper.

From the lower platform at Gleisdreieck and across the wasteland in the Potsdamer Platz area to Kemperplatz near the Philharmonie, a test track was erected in 1984 for the 'M-Bahn', a fully automatic magnetically-driven railway. Shortly after its final approval to be used for regular passenger service in July 1991, the M-Bahn was dismantled to allow for the reconstruction of line U2, as the Berlin Wall had since disappeared. Since 1993, the U2 has been running from Ruhleben to Vinetastraße, and since 2000, all the way to Pankow S-Bahn station on what

U2	20.7 km (6.2 km oberirdisch | *above ground*)
	29 Bahnhöfe | *stations* (8 oberirdisch | *above ground*)

18-02-1902 Potsdamer Platz [– Möckernbrücke]
11-03-1902 Potsdamer Platz – Zoologischer Garten
14-12-1902 Zoologischer Garten – Ernst-Reuter-Platz
14-05-1906 Ernst-Reuter-Pl. – Deutsche Oper [– Wilhelmpl.]
29-03-1908 Deutsche Oper – Theodor-Heuss-Platz
01-10-1908 Potsdamer Platz – Spittelmarkt
03-12-1912 + Gleisdreieck
08-06-1913 Theodor-Heuss-Platz – Olympia-Stadion
01-07-1913 Spittelmarkt – Alexanderplatz
27-07-1913 Alexanderplatz – Schönhauser Allee
20-05-1922 + Neu-Westend
22-12-1929 Olympia-Stadion – Ruhleben
29-06-1930 Schönhauser Allee – Vinetastraße
13-08-1961 [X] Gleisdreieck – Mohrenstraße
1972 [X] Gleisdreieck – Nollendorfplatz
28-04-1978 + Bismarckstraße
1993 Nollendorfplatz – Mohrenstraße*
01-10-1998 + Mendelssohn-Bartholdy-Park
16-09-2000 Vinetastraße – Pankow

[X] Schließung | *Closure*
* Wiederinbetriebnahme | *Re-opening*

U2 Stadtmitte

U2 Vinetastraße – IK18 #1050

U2 Theodor-Heuss-Platz – GI #1078

1930 bis zum S-Bahnhof Pankow. 1998 war der Hochbahnhof Mendelssohn-Bartholdy-Park auf der wiedererrichteten Strecke in Betrieb genommen worden, um das Neubaugebiet südlich des Potsdamer Platzes besser zu erschließen.

Die U2 stellt heute eine wichtige Ost-West-Verbindung dar. Wegen der kurvenreichen Trassierung und der teilweise sehr kurzen Stationsabstände (Mohrenstraße – Stadtmitte – Hausvogteiplatz jeweils nur 380 m) ist ihre Reisegeschwindigkeit vor allem im Stadtzentrum sehr gering. Auf der fast 21 km langen Strecke liegen drei Abschnitte im Freien. Die unterirdischen Abschnitte befinden sich fast durchweg in einfacher Tiefenlage. Bemerkenswert ist die Überquerung des S-Bahn-Rings zwischen Sophie-Charlotte-Platz und Kaiserdamm, wo die U-Bahn im Untergeschoss der Straßenbrücke über die im Trog verlaufende S-Bahn fährt.

In der Hauptverkehrszeit verkehrt die U2 alle 4 Minuten, sonst tagsüber alle 5 Minuten, wobei Richtung Westen jeder zweite Zug am Theodor-Heuss-Platz endet. Während auf den anderen Kleinprofillinien in der Regel nur verschiedene A3-Wagen im Einsatz sind, kann man auf der U2 auch GI-, HK- und IK-Züge sehen.

Einst war geplant, die U2 von Ruhleben über das Spandauer Zentrum bis zum Falkenhagener Feld am westlichen Stadtrand zu verlängern. Dazu wurde der 1984 eröffnete U-Bahnhof Rathaus Spandau der U7 großzügig mit Gleiströgen für die U2 gebaut. Am anderen Ende war jahrzehntelang eine Verlängerung um eine Station bis Pankow Kirche oder auch darüber hinaus bis Niederschönhausen geplant.

is the first and only new section built since 1930 on the small-profile network. In 1998, a new elevated station was added at Mendelssohn-Bartholdy-Park to improve access to the development area south of Potsdamer Platz.

Today's U2 is an important east-west link. Due to its winding alignment and some very closely spaced stations (Mohrenstraße – Stadtmitte, and Stadtmitte – Hausvogteiplatz are each only 380 m apart), its travel speed through the city centre is rather low. Along its 21 km route there are three sections in the open air, while most underground sections run just below street level. Worth mentioning is the section between Sophie-Charlotte-Platz and Kaiserdamm, where the U2 crosses above the S-Bahn circle line on the lower deck of a road bridge.

Line U2 operates every 4 minutes during peak hours, and every 5 minutes during normal daytime hours, with every other westbound train terminating at Theodor-Heuss-Platz. Whereas on the other small-profile lines only various series of A3 trains are in service, on line U2, GI, HK and IK trains can also be seen.

There were once plans to extend line U2 from Ruhleben to Falkenhagener Feld via the Spandau town centre. For this purpose, when Rathaus Spandau station on line U7 was built in 1984, it was made large enough to accommodate the U2 tracks, too. At the opposite end, a 1-station extension to Pankow Kirche or even further to Niederschönhausen has been on the table for many decades.

U2 Bülowstraße > Gleisdreieck GI #1091

U2 Olympia-Stadion – HK06 #1019

U2   Mohrenstraße – HK00 #1001

U2   Deutsche Oper – A3L 71 #670

U5 Tierpark – IK17 #1032

`U5` `U55` Hauptbahnhof – Brandenburger Tor (–) Alexanderplatz – Hönow

Der Bau der Großprofillinie U5 begann 1927, sie wurde 1930 als Linie E entlang der Frankfurter Allee vom Alexanderplatz bis Friedrichsfelde eröffnet (7 km) und erschloss somit die dicht besiedelten Bezirke Friedrichshain und Lichtenberg. Anders als bei der ersten Großprofillinie, der heutigen U6, wurden die Stationen nicht mehr in einfacher Tiefenlage gebaut, sondern in eineinhalbfacher, wodurch an beiden Enden Zwischengeschosse errichtet und die Ausgänge an die Straßenränder verlegt werden konnten. Außerdem entstanden dadurch an den meisten Stationen wesentlich höhere Bahnsteighallen. Die Bahnsteiglängen wurden mit mindestens 120 m festgelegt.

Die U5 blieb jahrzehntelang unverändert. Nach dem Bau der Berliner Mauer 1961 war sie abgesehen von den ohne Halt durchfahrenden Linien U6 und U8 die einzige Großprofillinie auf Ost-Berliner Gebiet. 1973 kam eine kurze Verlängerung bis Tierpark hinzu, wo eine direkte Umsteigemöglichkeit zur Straßenbahn entlang der Achse Rhinstraße/Treskowallee geschaffen wurde. Geplant war damals, diese U-Bahn-Linie weiter in südlicher Richtung nach Karlshorst und Oberschöneweide zu verlängern.

In den 1970er und 1980er Jahren entstanden am östlichen Stadtrand in Marzahn und Hellersdorf große Wohnsiedlungen, die vorwiegend mit der S-Bahn angeschlossen werden sollten. Erst als man merkte, dass die Stadtbahnstrecke der S-Bahn keine weiteren Linien mehr aufnehmen konnte, beschloss man stattdessen, die U-Bahn oberirdisch Richtung Hellersdorf zu verlängern. Dabei entstand in Wuhletal ein Umsteigebahnhof zwischen S-Bahn und

The construction of the large-profile line U5 began in 1927. It opened in 1930 as line E from Alexanderplatz to Friedrichsfelde (7 km), running along Frankfurter Allee through the densely populated districts of Friedrichshain and Lichtenberg. Unlike the first large-profile line, the present U6, the stations were no longer built just below street level, but with a mezzanine, which enabled the exits to be located on the pavements; this also resulted in high station halls in most cases. The platforms were laid out at least 120 m long.

For many decades line U5 remained unchanged. After the construction of the Berlin Wall in 1961, it was the only large-profile line left in East Berlin, besides lines U6 and U8, which passed through eastern territory without stopping. In 1973, a 1-station extension was added to Tierpark, where an interchange with the tram lines along Rhinstraße/Treskowallee was established. At that time, there were plans to extend the line south to Karlshorst and Oberschöneweide.

During the 1970s and 1980s, large housing estates were built on the eastern outskirts of the city in Marzahn and Hellersdorf. These were to be connected by new S-Bahn routes, but when it became obvious that the Stadtbahn trunk route could not take any more lines, a surface U-Bahn extension to Hellersdorf was built instead. This extension includes a cross-platform interchange between lines U5 and S5 at Wuhletal. The route to Hönow was completed a few months before the collapse of the Berlin Wall in 1989. While East Berlin had not used any

U5 *Alexanderplatz* – F76 #2563 & H97 #5009

U5 *Weberwiese* – H01 #5035

U-Bahn, wobei die S5 und die U5 im Richtungsbetrieb am selben Bahnsteig halten. Die Strecke nach Hönow wurde 1989 wenige Monate vor dem Fall der Berliner Mauer vollendet. Während in Ost-Berlin weder für die S-Bahn noch für die U-Bahn auf den Netzplänen Liniennummern verwendet wurden, erschien bereits 1990 die Bezeichnung U5 auf dem Netzplan der wiedervereinten Stadt.

Von Anfang an war geplant, die ehemalige Linie E vom Alexanderplatz Richtung Westen zu verlängern. Als Bestandteil des 200-km-Plans wurden dafür im Laufe der Jahre in West-Berlin verschiedene Vorleistungen getätigt, z.B. am U-Bhf Turmstraße der U9 sowie am U-Bhf Jungfernheide der U7, wo der voll ausgebaute Teil der U5 für die Fahrgäste sichtbar ist. Als westlicher Endpunkt war der Flughafen Tegel vorgesehen.

Im Hauptstadtvertrag von 1992 wurde die Verlängerung der U5 vom Alexanderplatz über das neue Regierungsviertel zum neuen Hauptbahnhof festgelegt. Zwischen Bundestag und Brandenburger Tor wurden die beiden Streckentunnel im Schildvortrieb errichtet, die U-Bahnhöfe Hauptbahnhof und Bundestag wurden in offener Bauweise als großzügige Hallen gebaut. Der U-Bhf Brandenburger Tor hingegen wurde direkt neben dem S-Bahnhof (früher „Unter den Linden") in geschlossener Bauweise durch Vereisung des Bodens erstellt. Seit 2009 findet zwischen Hauptbahnhof und Brandenburger Tor im 10-Minuten-Takt ein eingleisiger Pendelverkehr als U55 statt. Die dafür benötigten Fahrzeuge werden durch eine Öffnung nördlich des Hauptbahnhofs in den Tunnel hinabgelassen.

Aus finanziellen Gründen wurde der Bau des Abschnitts Brandenburger Tor – Alexanderplatz wiederholt verschoben, doch nun soll der durchgehende Betrieb zwischen

line numbers, neither for the S-Bahn nor the U-Bahn, the number 'U5' appeared on unified network maps in as early as 1990.

A western extension from Alexanderplatz had been planned from the very beginning. As this was also included in the 200 km master plan, several provisions were made in West Berlin in the past, e.g. at Turmstraße (U9) and at Jungfernheide (U7), where the completely built U5 platforms are visible to passengers. The western terminus was envisaged to be at Tegel Airport.

The extension of line U5 from Alexanderplatz to the new central station via the government quarter was part of the 1992 deal to bring government institutions back from Bonn to Berlin. The running tunnels between the Bundestag and Brandenburger Tor stations were excavated with tunnel boring machines, and large stations were built by cut-and-cover at Hauptbahnhof and Bundestag. Brandenburger Tor station, however, was excavated at the northern side of the existing S-Bahn station (formerly Unter den Linden) using ground freezing. Since 2009, a single-track shuttle service labelled U55 has been operating every 10 minutes between Hauptbahnhof and Brandenburger Tor. The rolling stock required for this service has to be lowered into the tunnel through a hole located to the north of the railway station.

Due to financial problems, the missing section between Alexanderplatz and Brandenburger Tor has been delayed time and again, but through service between Hauptbahnhof and Hönow is currently expected to start in late 2020. The running tunnels have been completed as single-track tubes. To provide transfer to line U6, a new interchange station named Unter den Linden has

U5 **U55**

22.0 km (8.5 km oberirdisch | *above ground*)
26 Bahnhöfe | *stations* (9 oberirdisch | *above ground*)
  incl. U55: 1.5 km, 3 Bahnhöfe | stations
  incl. 2.2 km, 3 Bahnhöfe | stations - im Bau | under construction

21-12-1930 Alexanderplatz – Friedrichsfelde
25-06-1973 Friedrichsfelde – Tierpark
01-07-1988 Tierpark – Elsterwerdaer Platz
01-07-1989 Elsterwerdaer Platz – Hönow
08-08-2009 Hauptbahnhof – Brandenburger Tor (U55)
~12-2020 Brandenburger Tor – Alexanderplatz

U55 *Brandenburger Tor* – D57 #2021

U5 Hellersdorf > Louis-Lewin-Straße – H95 #5001

Hauptbahnhof und Hönow voraussichtlich Ende 2020 aufgenommen werden. Die Streckentunnel wurden wieder im Schildvortrieb als eingleisige Röhren aufgefahren. Am Kreuzungspunkt mit der U6 entsteht ein neuer Umsteigeknoten Unter den Linden, der die bestehende U6-Station Französische Straße ersetzen wird. Während dieser Baukomplex sowie der U-Bhf Berliner Rathaus in offener Bauweise weitgehend fertiggestellt sind, wird am U-Bhf Museumsinsel, der wieder in geschlossener Bauweise durch Vereisung des Bodens unter dem Kupfergraben entsteht, noch gearbeitet. Eine einst vorgesehene Westverlängerung bis Turmstraße bzw. darüber hinaus wird derzeit nicht als vorrangig eingestuft.

Die U5 verkehrt tagsüber durchgehend im 5-Minuten-Takt, wobei außerhalb der Hauptverkehrszeiten jeder zweite Zug Richtung Osten in Kaulsdorf-Nord endet.

been built by cut-and-cover, which will replace Französische Straße station on line U6. While Berliner Rathaus [City Hall] station has also been dug by cut-and-cover, Museumsinsel station is still being excavated, using ground freezing beneath the Kupfergraben canal. A western extension to Turmstraße and beyond was once proposed but is currently not classified as a priority.

Line U5 operates every five minutes throughout the day, with every other eastbound train terminating at Kaulsdorf-Nord during off-peak hours.

U5 Wuhletal – IK17 #1029

U5 Kienberg (Gärten der Welt)

U5 Schillingstraße – IK17 #1033

U55 Hauptbahnhof (2014) – F79 #2674

U6 Afrikanische Straße – F87 #2817

U6 Alt-Tegel – Alt-Mariendorf

Die U6 war Berlins erste Großprofillinie. Ihr Bau hatte bereits 1912 begonnen, er wurde aber bald durch den 1. Weltkrieg unterbrochen, so dass das erste Teilstück durch die Innenstadt entlang der Friedrichstraße erst 1923 in Betrieb genommen werden konnte. Die U6 war die erste Strecke, die nicht von der privaten *Hochbahngesellschaft*, sondern von der Stadt selbst gebaut und betrieben werden sollte. Sie wurde anfangs als „Nord-Süd-Bahn" bezeichnet, ab 1928 dann als Linie C.

Ähnlich wie bei den Kleinprofilstrecken liegen die älteren Bahnhöfe größtenteils in einfacher Tiefenlage, die Ausgänge sind meist mit zwei Treppen hintereinander in Straßenmitte angeordnet. Lediglich die U-Bahnhöfe Friedrichstraße und Hallesches Tor wurden wegen der nahen Spree- bzw. Landwehrkanalunterquerung tiefer angelegt. Wegen der größeren Wagenbreite von 2,65 m statt bislang 2,30 m hielt man eine Bahnsteiglänge von 80 m für ausreichend.

Im Süden verzweigte sich die Linie C ursprünglich am Mehringdamm (früher Belle-Alliance-Straße) in einen Ast Richtung Neukölln (seit 1966 Teil der U7) und einen Ast Richtung Tempelhof.

Die U6 war die erste Linie, die nach dem 2. Weltkrieg verlängert wurde. Die Bauarbeiten in der Müllerstraße begannen 1953. In zwei Etappen erreichte die U6 bis 1958 Tegel. Zwischen Kurt-Schumacher-Platz und Borsigwerke findet man die einzige oberirdische Strecke des Großprofilnetzes neben der U5 nach Hönow. In den 1960er Jahren kam die südliche Verlängerung von Tempelhof nach Alt-Mariendorf hinzu. Auf diesem Abschnitt wird der Teltow-

Line U6 was Berlin's first large-profile U-Bahn line. Its construction began in 1912, but was suspended due to World War I. The first section along Friedrichstraße through the city centre therefore only opened in 1923. Line U6 was the first line to be built not by the private 'Hochbahngesellschaft', but by the city government itself. It was initially referred to as the 'Nord-Süd-Bahn' [north-south line], before becoming line C in 1928.

Similar to the small-profile lines, most stations were then built just below street level, accessible at either end via two flights of stairs located one behind the other in the middle of the street. Only Friedrichstraße and Hallesches Tor stations lie deeper, due to their locations next to the River Spree and the Landwehr Canal, respectively. Because of the larger car width of 2.65 m instead of the former 2.30 m, a platform length of 80 m was considered sufficient.

At the southern end, line C split at Mehringdamm (formerly Belle-Alliance-Straße), with one branch going to Neukölln (since 1966 part of line U7) and another branch to Tempelhof.

After World War II, line U6 was the first to be extended. Construction began along Müllerstraße in 1953 and by 1958, line U6 had reached Tegel in two stages. The stretch between Kurt-Schumacher-Platz and Borsigwerke is the only surface section on the large-profile network besides the U5 extension to Hönow. In the 1960s, an extension from Tempelhof to Alt-Mariendorf was added. On that section, the line crosses the Teltow-

U6 Holzhauser Straße – F90 #2849

U6 Französische Straße

kanal am U-Bhf Ullsteinstraße im Untergeschoss einer Straßenbrücke überquert.

Mit dem Bau der Berliner Mauer wurden fünf der Stationen von 1923 im Stadtzentrum geschlossen, lediglich Friedrichstraße blieb geöffnet und diente 29 Jahre zum exterritorialen Umsteigen zwischen U-Bahn und S-Bahn innerhalb des West-Berliner Netzes bzw. zum Passieren der Grenze.

Während neuere Bahnhöfe der U6 bereits mit 110 m langen Bahnsteigen gebaut worden waren, mussten die älteren Stationen Mitte der 1990er Jahre auf mindestens 105 m verlängert werden, um auch auf der U6 6-Wagen-Züge einsetzen zu können. Bis auf den U-Bhf Französische Straße, der im Zuge der Verlängerung der U5 durch den neuen Kreuzungsbahnhof Unter den Linden ersetzt wird, wurden diese Stationen gleichzeitig mit Aufzügen ausgestattet.

Trotz ihres Alters kann man die U6 aufgrund ihrer geraden Streckenführung zu den schnelleren Linien der Berliner U-Bahn zählen. Die U6 verkehrt tagsüber durchgehend im 5-Minuten-Takt.

Die verschiedensten Netzausbaupläne der vergangenen Jahrzehnte sehen für die U6 keinerlei Verlängerungen vor. Allerdings tauchte in den letzten Jahren die Möglichkeit eines Abzweigs am Kurt-Schumacher-Platz zur geplanten „Urban Tech Republic" auf dem Areal des heutigen Flughafens Tegel auf.

Canal on the lower deck of a road bridge at Ullsteinstraße station.

The erection of the Berlin Wall lead to the closure of five of the stations from 1923, with only Friedrichstraße remaining open as both an extraterritorial interchange station between U-Bahn and S-Bahn within the West Berlin network, and as a border checkpoint.

Whereas the newer stations had been built with 110 m long platforms, the older stations had to be lengthened in the mid-1990s to at least 105 m to take 6-car trains. Except for Französische Straße, which will be replaced by the new interchange station Unter den Linden now under construction on line U5, all the other stations in the centre have been made fully accessible with lifts.

Despite its long history and thanks to its straight alignment, line U6 is among the fastest metro lines in Berlin. A 5-minute service is provided throughout the day.

No extensions have been planned for line U6 for several decades, but a branch line has recently been proposed to diverge at Kurt-Schumacher-Platz and serve the future 'Urban Tech Republic' on the terrain of today's Tegel Airport.

U6   19.9 km (2.9 km oberirdisch | *above ground*)
      29 Bahnhöfe | *stations* (3 oberirdisch | *above ground*)

30-01-1923 Hallesches Tor – Naturkundemuseum
08-03-1923 Naturkundemuseum – Seestraße
19-04-1924 Hallesches Tor – Mehringdamm [– Gneisenaustr.]
14-02-1926 Mehringdamm – Platz der Luftbrücke
10-09-1927 Platz der Luftbrücke – Paradestraße
22-12-1929 Paradestraße – Tempelhof
03-05-1956 Seestraße – Kurt-Schumacher-Platz
31-05-1958 Kurt-Schumacher-Platz – Alt-Tegel
13-08-1961 [X] Schwartzkopffstraße, Naturkundemuseum,
      Oranienburger Tor, Französische Straße, Stadtmitte
28-02-1966 Tempelhof – Alt-Mariendorf
01-07-1990 + Schwartzkopffstraße, Naturkundemuseum,
      Oranienburger Tor, Französische Str., Stadtmitte*
~12/2020 + Unter den Linden [X] Französische Straße

[X] Schließung | *Closure*
* Wiederinbetriebnahme | *Re-opening*

U6 Kurt-Schumacher-Platz – F90 #2881

U6 **Mehringdamm** – H97 #5012

U6 **Paradestraße**

U6 **Platz der Luftbrücke** – H97 #5008

U6 **Französische Straße**
– wird Ende 2020 geschlossen | *to be closed in late 2020*

U6 **Westphalweg**

U6　Tempelhof – F84 #2757

U6　Kaiserin-Augusta-Straße – F87 #2823

U7 Siemensdamm – F92 #2942

U7 Rathaus Spandau – Rudow

Die Großprofillinie U7 ist mit fast 32 km Berlins längste U-Bahn-Linie. Sie verläuft durchgehend unterirdisch und stellt eine reine West-Berliner Linie dar.

Der älteste Abschnitt der U7 wurde in den 1920er Jahren als CI-Ast der ehemaligen „Nord-Süd-Bahn" (heute U6) von Mehringdamm nach Neukölln errichtet. Dieser Ast wurde 1963 noch von Grenzallee bis Britz-Süd verlängert, bevor 1966 mit einer kurzen Neubaustrecke von Mehringdamm bis Möckernbrücke und der zeitgleichen Einführung der Liniennummern die neue Linie 7 geschaffen wurde. Im geteilten Berlin wurde die U7 bis 1984 zu einer Tangentiallinie ausgebaut, welche die damaligen Bezirke Spandau, Charlottenburg, Wilmersdorf, Schöneberg, Kreuzberg und Neukölln miteinander verband, ohne dabei weder das historische Zentrum der Stadt noch die West-Berliner City rund um den Bahnhof Zoologischer Garten zu berühren. Im Süden dient die U7 vor allem der Erschließung der in den 1970er Jahren gebauten Großsiedlung Gropiusstadt. Dieser Abschnitt sollte ursprünglich in einem offenen Einschnitt errichtet werden, die Tunnelstrecke ermöglichte jedoch die Anlage eines langgezogenen Parks über der U-Bahn.

Beim Bau der U7 kam an drei kurzen Abschnitten der Schildvortrieb zum Einsatz, nämlich zwischen Yorckstraße und Kleistpark zur Unterfahrung der heutigen S1, zwischen Bismarckstraße und Richard-Wagner-Platz sowie zwischen Altstadt Spandau und Rathaus Spandau. Die Spree, die Havel und der Westhafen-Kanal wurden mittels Senkkästen unterquert. Die übrigen Abschnitte wurden, wie sonst in Berlin damals üblich, in offener Bauweise erstellt.

At almost 32 km, the large-profile line U7 is Berlin's longest metro line. It is entirely underground and only runs through the former West Berlin.

The oldest part of line U7 was built in the 1920s as the CI branch off the 'Nord-Süd-Bahn' (now U6) from Mehringdamm towards Neukölln. This branch was extended from Grenzallee to Britz Süd in 1963, before the new line 7 was created in 1966 (the year line numbers were introduced), including a new short stretch from Mehringdamm to Möckernbrücke. While the city remained divided, line U7 was extended to become a long tangential route linking the old districts of Spandau, Charlottenburg, Wilmersdorf, Schöneberg, Kreuzberg and Neukölln without passing through the old city centre or the heart of West Berlin around Zoo station. The southern leg, which goes through a large housing estate, the Gropiusstadt, was initially planned to run in an open cutting, but this was eventually covered, resulting in a long park above the U-Bahn tunnel.

Three short sections of line U7 were built with tunnel boring machines: between Yorckstraße and Kleistpark to dive under the S1; between Bismarckstraße and Richard-Wagner-Platz; and between Altstadt Spandau and Rathaus Spandau. The crossings of the rivers Spree and Havel as well as of the Westhafen Canal were built with caissons. All the other sections were excavated by cut-and-cover, in those days the most commonly used method in Berlin.

At the Spandau end, line U7 was planned to be extended by four stations to Heerstraße in Staaken. The

U7 Rathaus Spandau – F90 #2856

Von Spandau sollte die U7 einst um vier Stationen bis zur Heerstraße in Staaken verlängert werden. Im Süden wird derzeit wieder verstärkt über eine Erweiterung von Rudow zum Flughafen Schönefeld bzw. BER nachgedacht.

Beim Bau der U7 wurde auf mehrere andere Strecken aus dem 200-km-Plan Rücksicht genommen: voll ausgebaute Bahnsteige im U-Bhf Rathaus Spandau für die U2 sowie im U-Bhf Jungfernheide für die U5; nicht sichtbar für den Fahrgast im U-Bhf Adenauerplatz der Rohbau für die U1 oder im U-Bhf Kleistpark für eine angedachte U10.

Die U7 gehört heute zu den am meisten frequentierten und auch schnellsten Linien. Sie verkehrt in den Hauptverkehrszeiten alle 4 Minuten, sonst tagsüber alle 5 Minuten, wobei in der Regel alle Züge die Gesamtstrecke befahren.

idea of a southern extension from Rudow towards the airport in Schönefeld has recently been revived.

During the construction of line U7, several other routes included in the 200 km master plan were taken into account: completely built platforms exist at Rathaus Spandau (for U2) and at Jungfernheide (for U5); not visible to passengers are the partly built stations at Adenauerplatz (U1) and Kleistpark (proposed U10).

Line U7 is among the busiest and fastest U-Bahn lines in Berlin. During peak hours, it operates every 4 minutes, and during off-peak daytime hours, every 5 minutes, with all trains normally running the full length of the line.

U7	31.8 km
	40 Bahnhöfe | *stations*

19-04-1924 Mehringdamm – Gneisenaustraße*
14-12-1924 Gneisenaustraße – Südstern*
11-04-1926 Südstern – Karl-Marx-Straße*
21-12-1930 Karl-Marx-Straße – Grenzallee*
28-09-1963 Grenzallee – Britz-Süd*
28-02-1966 Mehringdamm – Möckernbrücke
02-01-1970 Britz-Süd – Zwickauer Damm
29-01-1971 Möckernbrücke – Fehrbelliner Platz
01-07-1972 Zwickauer Damm – Rudow
28-04-1978 Fehrbelliner Platz – Richard-Wagner-Platz
01-10-1980 Richard-Wagner-Platz – Rohrdamm
01-10-1984 Rohrdamm – Rathaus Spandau

* als Ast der Linie C (U6) \| *as a branch of line C (U6)*

U7 Jakob-Kaiser-Platz

U7 Wutzkyallee

U7 Paulsternstraße

U7 Rudow – F90 #2856

U7 Konstanzer Straße – F92 #2964

U7 Mehringdamm – F92 #2942

U7 Hermannplatz

U7 Blaschkoallee – H97 #5019

U8 Leinestraße

U8 Wittenau – Hermannstraße

Die U8 entstand in den 1920er Jahren als Großprofil-linie D. Unter der Bezeichnung „GN-Bahn" (Gesundbrunnen – Neukölln) hatte die AEG bereits 1912 mit dem Bau an mehreren Abschnitten begonnen, unter anderem an den U-Bahnhöfen Voltastraße und Bernauer Straße, die noch in einfacher Tiefenlage ohne Zwischengeschosse errichtet wurden. Mit Ausbruch des 1. Weltkriegs kamen die Bauarbeiten jedoch zum Erliegen und nach dem Krieg sah sich die AEG gezwungen, die bereits begonnenen Abschnitte der Stadt Berlin zu übergeben, die schließlich 1926 die Bauarbeiten fortsetzte. Noch zu bauende Stationen wurden an den für die Linie E (U5) festgelegten Standard angepasst, d.h. es wurden an beiden Enden Zwischengeschosse eingebaut. Am Hermannplatz, wo eine gemeinsame Station für die Linien C und D entstand, bestellte das heute noch existierende Kaufhaus Karstadt einen direkten Zugang vom U-Bahnhof. Bis 1930 wurde die ursprüngliche Linie D fertiggestellt, welche dann bis 1977 unverändert blieb.

Der Bau der Berliner Mauer bedeutete für die U8, dass sich 6 der 14 Stationen in Geisterstationen verwandelten, die von den West-Berliner Zügen ohne Halt durchfahren wurden. Der Nordabschnitt im Bezirk Wedding bestand 16 Jahre lang aus nur zwei Stationen, bis 1977 schließlich eine Verlängerung bis Osloer Straße in Betrieb genommen wurde, so dass auch über die U9 ein Anschluss an die West-Berliner City geschaffen wurde.

Als letzte große Baumaßnahme in West-Berlin vor der Wende begann Mitte der 1980er Jahre die Nordverlängerung zum Anschluss der Großsiedlung Märkisches Viertel.

Line U8 was built in the 1920s as line D. It had been planned by the AEG as the 'GN-Bahn' (Gesundbrunnen – Neukölln). Construction started at various points in 1912, among them being the stations at Voltastraße and Bernauer Straße, which were therefore built without mezzanines, as was the practice at the time. World War I put an end to construction, however, and after the war the AEG was not able to proceed. The project was transferred to the city government, who resumed construction in 1926. The rest of the stations were built following the parameters set for line E (U5), which meant that mezzanines were added at both ends. At Hermannplatz, where a 2-level station was constructed for lines C and D, the Karstadt department store, which still exists at that location, ordered a direct entrance from the U-Bahn station. By 1930, the original line D had been completed; it remained unchanged until 1977.

The erection of the Berlin Wall turned six of the 14 stations into ghost stations, which the West Berlin trains passed through without stopping. For 16 years, the northern U8 section in the district of Wedding thus only consisted of two stations; when the line was extended to Osloer Straße in 1977, this area was finally linked to the West Berlin city centre via line U9.

The last big project to be launched in West Berlin before the collapse of the Wall was the northern U8 extension towards Märkisches Viertel. Between Karl-Bonhoeffer-Nervenklinik and Rathaus Reinickendorf, tunnels were excavated with tunnel boring machines in order not to disrupt hospital life or require the removal of trees.

U8 Hermannstraße

U8 Paracelsus-Bad

Zwischen Karl-Bonhoeffer-Nervenklinik und Rathaus Reinickendorf wurde der Schildvortrieb angewandt, um das Krankenhausleben nicht zu beeinträchtigen und den Baumbestand zu schützen. 1994 wurde der S-Bahnhof Wittenau erreicht, das fehlende Stück ins Märkische Viertel mit drei geplanten Stationen wartet bis heute auf seine Verwirklichung.

Im Süden kam 1996 ein kurzer Abschnitt von Leine-straße bis zum S-Bahnhof Hermannstraße hinzu. Dieser Abschnitt war bereits Ende der 1920er Jahre weitgehend gebaut, jedoch nie vollendet worden. In den ersten Versionen der Nachkriegsplanungen war noch eine Südverlängerung nach Britz enthalten, welche aber heute wegen der parallelen U7 nicht mehr aktuell ist.

Die U8 weist in Mitte und in Kreuzberg teilweise sehr enge Kurvenradien auf, was wie bei der U2 die Reisegeschwindigkeit verringert. Die U8 verkehrt tagsüber durchgehend im 5-Minuten-Takt. Richtung Norden endet am späten Vormittag und zu anderen Schwachlastzeiten jeder zweite Zug am U-Bhf Paracelsus-Bad.

In 1994, line U8 reached the S-Bahn station Wittenau, with the last section to Märkisches Viertel having been shelved.

At the southern end, a short extension was added in 1996 to fill the gap between Leinestraße and Hermannstraße (S-Bahn). This section had actually been started in the late 1920s but was never completed. Early post-war plans included an extension to Britz, but this is no longer being pursued due to the parallel alignment of line U7.

In the central area and through Kreuzberg, line U8 negotiates some tight curves which reduce its overall travel speed. A 5-minute headway is operated throughout the day. During off-peak hours, every other northbound train terminates at Paracelsus-Bad.

U8	18.0 km
	24 Bahnhöfe | stations

17-07-1927 Schönleinstraße – Boddinstraße
12-02-1928 Schönleinstraße – Kottbusser Tor
06-04-1928 Kottbusser Tor – Heinrich-Heine-Straße
04-08-1929 Boddinstraße – Leinestraße
18-04-1930 Heinrich-Heine-Straße – Gesundbrunnen
13-08-1961 [X] Bernauer Straße, Rosenthaler Platz, Weinmeisterstraße, Alexanderplatz, Jannowitz-brücke, Heinrich-Heine-Straße
05-10-1977 Gesundbrunnen – Osloer Straße
27-04-1987 Osloer Straße – Paracelsus-Bad
11-11-1989 + Jannowitzbrücke*
22-12-1989 + Rosenthaler Platz*
12-04-1990 + Bernauer Straße*
01-07-1990 + Weinmeisterstraße, Alexanderplatz, Heinrich-Heine-Straße*
24-09-1994 Paracelsus-Bad – Wittenau
13-07-1996 Leinestraße – Hermannstraße

[X] Schließung | Closure
* Wiederinbetriebnahme | Re-opening

U8 Paracelsus-Bad

U8 Residenzstraße – F76 #2594

U8 Jannowitzbrücke

U8 Pankstraße

U8 Karl-Bonhoeffer-Nervenklinik

U8 Gesundbrunnen – H01 #5039

U8 **Boddinstraße** – F74 #2504

U8 **Alexanderplatz** – F74 #2514

U9 Walther-Schreiber-Platz

U9 Osloer Straße – Rathaus Steglitz

Der Bau der neuesten Großprofillinie, der U9, begann Mitte der 1950er Jahre, als Berlin zwar faktisch, jedoch noch nicht endgültig geteilt war. Auch wenn der in dieser Zeit entwickelte 200-km-Plan Berlin als Einheit betrachtete, wurde die U9 doch als reine West-Berliner Linie konzipiert, die das historische Stadtzentrum, den Bezirk Mitte, nicht berühren, sondern die drei Westsektoren direkt miteinander verbinden sollte. Der erste Abschnitt der anfangs als Linie G bezeichneten Strecke ging nur zwei Wochen nach dem Bau der Berliner Mauer in Betrieb, so dass sofort eine schnelle Verbindung von den nördlichen Bezirken Reinickendorf und Wedding in die West-Berliner City angeboten werden konnte.

In den 1970er Jahren wurde die seit 1966 als Linie 9 bezeichnete Strecke im Süden entlang der Bundesallee nach Steglitz erweitert. 1971 wurde auch die U7 bis Wilmersdorf verlängert und es entstand an der Berliner Straße ein für Umsteiger praktischer Turmbahnhof. Im südlichsten Abschnitt zwischen Walther-Schreiber-Platz und Rathaus Steglitz kann man bis heute die großzügigen Planungen früherer Jahrzehnte beobachten, denn hier sollte über drei Stationen die U9 parallel zur geplanten U10 (Weißensee – Alexanderplatz – Potsdamer Platz – Steglitz – Lichterfelde) verlaufen. Am U-Bahnhof Schloßstraße wurde dafür ein doppelstöckiger Bahnhof errichtet, der bahnsteiggleiches Umsteigen ermöglichen sollte. Der heute von der U9 benutzte Endbahnhof Rathaus Steglitz war eigentlich für die U10 vorgesehen, der Rohbau des U9-Bahnsteigs verbirgt sich auf der Ebene -1 hinter provisorischen Wänden.

Im Norden kam 1976 eine kurze Verlängerung hinzu, die ein Jahr später eine wichtige Verbindung zur dann ver-

The construction of the last large-profile line, the U9, began in the mid-1950s, when Berlin was practically divided, although the division was not yet absolute. The 200 km master plan that emerged at that time still considered Berlin a single city. Line U9 was nevertheless conceived as a purely West Berlin line which would avoid the historical city centre and instead link the three western sectors. The first section of what was initially called line G opened just two weeks after the erection of the Berlin Wall, establishing a fast link between the northern districts (Reinickendorf, Wedding) and the West Berlin city centre.

Renamed line 9 in 1966, it was extended south along Bundesallee to Steglitz during the 1970s. In 1971, line U7 also reached Wilmersdorf, and a convenient interchange was created at Berliner Straße for lines U7 and U9. The southernmost section between Walther-Schreiber-Platz and Rathaus Steglitz is still testimony to the once ambitious expansion plans. Line U9 was to run parallel to the planned U10 (Weißensee – Alexanderplatz – Potsdamer Platz – Steglitz – Lichterfelde), and at Schloßstraße a 2-level station was therefore built to provide cross-platform interchange. The present U9 terminus was actually designed for line U10, the station shell meant for line U9 lying on level -1, hidden behind some temporary walls.

In the north, a short extension was added in 1976 which a year later provided an essential link to line U8. A further extension to Pankow Kirche (U2) has been proposed but is not considered very urgent.

In the south, line U9 was to be extended to Lankwitz Kirche. This project was at an advanced stage of planning

U9 Berliner Straße – H97 #5009

längerten U8 schuf. Eine weitere Verlängerung bis Pankow Kirche (U2) war zwar angedacht, wird aber heute nicht als dringend eingestuft.

Die U9 sollte im Süden bis Lankwitz Kirche verlängert werden. Die Planungen dafür waren vor dem Fall der Berliner Mauer weit fortgeschritten. Im wiedervereinten Berlin wurden die Prioritäten jedoch vorerst auf die Wiederherstellung der 1961 unterbrochenen Strecken gesetzt.

Der Großteil der U9 wurde wie seinerzeit in Berlin üblich in offener Bauweise erstellt. Erwähnenswert ist die Verwendung von Senkkästen auf einem kurzen Abschnitt zwischen Berliner Straße und Bundesplatz zur Querung einer Schmelzwasserrinne im Bereich Stadtpark Wilmersdorf. Die Querung der verschiedenen Wasserwege erfolgte hingegen durch den Bau von provisorischen Dämmen.

Als Folge ihrer geraden Streckenführung vermittelt die U9 den Eindruck einer sehr schnellen Linie. Von 1976 bis 1993 wurden die Züge der U9 (ähnlich wie die U-Bahn in München oder Wien) automatisch mit LZB gesteuert, heute wird sie wie alle anderen Linien manuell betrieben. Sie verkehrt in den Hauptverkehrszeiten alle 4 Minuten, sonst tagsüber alle 5 Minuten.

when the Berlin Wall collapsed in 1989, and priorities were shifted to other projects, such as the reconstruction of routes severed in 1961.

Most of line U9 was built by cut-and-cover, but caissons were used for a short stretch between Bundesplatz and Berliner Straße to bridge the hollow that is now the Wilmersdorf Park. The crossing of the various waterways, however, was achieved with the help of temporary cofferdams.

Thanks to its straight alignment, line U9 is perceived as a very fast line. From 1976 until 1993, the trains were operated in autopilot mode with LZB control (similar to the ATO system on the Central and Victoria Lines in London), but they are now operated manually like on all the other lines in Berlin. During peak hours, they run every four minutes, and during other daytime hours, every five minutes.

U9 12.5 km
18 Bahnhöfe | *stations*

28-08-1961 Leopoldplatz – Spichernstraße
29-01-1971 Spichernstraße – Walther-Schreiber-Platz
30-09-1974 Walther-Schreiber-Platz – Rathaus Steglitz
30-04-1976 Leopoldplatz – Osloer Straße

U9 Güntzelstraße – H97 #5007

U9 Amrumer Straße

U9 Westhafen

U9 Turmstraße

U9 Spichernstraße – F92 #2936

U9 Zoologischer Garten

U9 Nauener Platz

U9 Osloer Straße – F76 #2619

Siegfriedplatz – Vamos #5002

BIELEFELD

In Bielefeld (335.000 Einw.) betreibt *moBiel*, eine Tochter-gesellschaft der *Stadtwerke Bielefeld*, das einzige meterspurige Hochflur-Stadtbahnnetz Deutschlands. Die vier Linien verkehren tagsüber im 10-Minuten-Takt. Eine Tageskarte für die Preisstufe BI kostet 6 €.

Der Bau der Stadtbahn wurde 1970 nach den Rahmen-bedingungen für die Stadtbahn Rhein-Ruhr beschlossen. Aus dem bestehenden Straßenbahnnetz sollte allmählich ein komplett kreuzungsfreies, normalspuriges Netz mit 2,65 m breiten Fahrzeugen entstehen, im Zentrum unter-disch und auf Außenstrecken auf eigenen Trassen. Letzt-endlich blieb es bis heute bei der Meterspur, bei Neubauten wurde die Möglichkeit des späteren Einsatzes von breiteren Fahrzeugen berücksichtigt.

Bereits vor dem Beschluss zum Bau einer Stadtbahn war die unterirdische Tramhaltestelle Beckhausstraße zur Entflechtung einer wichtigen Straßenkreuzung geplant und 1971 eröffnet worden. Trotz Baubeginns 1977 konnten die unterirdischen Abschnitte im Innenstadtbereich erst 1991 in Betrieb genommen werden. Eine Verlängerung vom Rathaus Richtung Südwesten wurde nicht umgesetzt. Die Verzweigungen nördlich des Hauptbahnhofs sind alle kreu-zungsfrei angelegt, wofür der U-Bahnhof Hauptbahnhof auf zwei Ebenen angeordnet wurde (oben dreigleisig, unten eingleisig für Züge aus Richtung Altenhagen/Schildesche).

Ende der 1990er Jahre wurde das Tunnelsystem durch einen weiteren Ast Richtung Universität ergänzt. Die älteren Abschnitte wurden nach und nach umgebaut und Hoch-bahnsteige wurden nachgerüstet (an 13 Stationen noch

In Bielefeld (335,000 inh.), moBiel, a subsidiary of Stadt-werke Bielefeld, operates the only metre-gauge Stadt-bahn system in Germany. Each of the four lines runs every 10 minutes during daytime hours. A day pass for fare zone BI is priced at €6.00.

The decision to construct a Stadtbahn was taken in 1970, with the parameters defined for the Stadtbahn Rhein-Ruhr also being applied at Bielefeld. The existing tram network was eventually to be converted into a completely grade-separated standard-gauge system for 2.65 m wide rolling stock, with underground routes in the city centre and a totally segregated right-of-way on the outer routes. In the end, the metre gauge was main-tained, although the option to use wider trains in the future has been taken into account on new routes.

The underground tram stop Beckhausstraße had been planned before the Stadtbahn project was approved, and it was opened in 1971 to allow trams to pass under a busy road junction. Tunnel construction in the city centre did not really get started until 1977, and then it took until 1991 for the main underground sections to open. A planned southwestern extension from Rathaus was later shelved. As all the junctions north of Hauptbahnhof are grade-separated, the underground station was built with two levels (upper level with three tracks, and lower level with one track for trains from Altenhagen/Schildesche).

In the late 1990s, the tunnel system was complement-ed by a branch towards the University area. The older branches were gradually upgraded, and high platforms

Altenhagen

Milse
Buschbachtal **2**
Schelpmilser Weg
Baumheide
Seidenstickerstraße

Minden
Hannover

3 **Babenhausen Süd**
1 ◆ **Schildesche**
Voltmannstr.◆
Heidegärten
Koblenzer Straße
Kattenkamp
Deciusstraße
Lange Straße
Johannesstift

*Hochschulcampus
Lange Lage*

4
Lohmannshof
Wellensiek
Universität
Bültmannshof
Graf-von-Stauffenberg-Str.

Auf der Hufe
Nordpark
Sudbrackstr.
Wittekindstr.

Schüco
Finkenstr.
Ziegelstr.
Schillerstr.
Stadtheider Str.
Beckhausstr.

Heepen

Rudolf-Oetker-Halle
Siegfried-
platz

BIELEFELD Hbf

Hauptbahnhof

Bielefeld Ost

1	Schildesche – Senne
2	Altenhagen – Sieker
3	Babenhausen Süd – Stieghorst
4	Lohmannshof – Rathaus

4 *
Rathaus
Jahnplatz
August-Schroeder-Str.◆
* Ravensberger Str.◆
** Krankenhaus Mitte◆
Land-
gericht
Oststr.◆
Hartlager Weg◆
** Sieker Mitte◆
Oldentrup

Adenauer-
platz
Bethel
Friedrich-List-Str.
August-Bebel-Str.
Teutoburger Str.◆
Mozartstraße
Prießallee
Luther-
Kirche
Roggenkamp
Sieker **2**
Elpke
Gesamtschule Stieghorst
Stieghorst **3**

* Dürkopp Tor 6 (Carl-Schmidt-Str./Teutoburger Str.):
zukünftiger Endpunkt für die Linie 4
future line 4 terminus
** Ausbau Linie 3 | *Line 3 upgrade* (2019/20):
Zusammenlegung der Haltestellen
combining existing stops into one
August-Schroeder-Str. + Ravensberger Str.
Hartlager Weg + Sieker Mitte

Eggeweg
Brackwede
Brackwede Bahnhof
Gaswerkstraße◆
Normannenstraße◆
Brackwede Kirche◆
Windelsbleicher Straße◆
Rosenhöhe

Osnabrück

Detmold

Detmolder Str.

Hillegossen

▬▬⊙▬▬	Stadtbahn (teils straßenbündig) *Light rail (partly on-street running)*
▬▭▬	U-Bahn-mäßig ausgebauter Abschnitt *Metro-like section*
Gaswerkstr.◆	Haltestelle ohne Hochbahnsteig *Stop without high platforms*
─○─	Andere Bahnstrecken *Other railway lines*

1 km

Sennefriedhof
Senne
1

*Gütersloh
Dortmund*
Paderborn
proj.
Sennestadt (7.5 km)

nicht vorhanden). Die unterirdischen Stationen haben 75 m lange Bahnsteige (Jahnplatz 90 m), die einheitlich gestalteten oberirdischen Haltestellen nur 60 m lange. Während einzelne Netzergänzungen für die Stadtbahn seit Langem

have been built at most surface stops (except 13). The underground stations have 75 m long platforms (Jahnplatz 90 m), but the uniformly designed surface stops are only 60 m long. While some extensions are planned for the

Stadtbahn Bielefeld

33.2 km (ca. 5.2 km Ⓤ)
64 Haltestellen | *stops* (7 Ⓤ)

21-09-1971 ◥◤ Beckhausstraße ◢ Stadtheider Straße
28-04-1991 Beckhausstraße – Jahnplatz ◢ Rathaus
 Auf der Hufe ◣ Nordpark – Hauptbahnhof
 Sudbrackstraße ◣ Hauptbahnhof
02-04-2000 Hauptbahnhof – Rudolf-Oetker-Halle ◢ Graf-
 von-Stauffenberg-Str. – Universität
29-09-2002 Universität – Lohmannshof
06-12-2015 Milse – Altenhagen

◣ Tunneleinfahrt
 tunnel portal
◢ ehemalige Rampe
 former ramp

Beckhausstraße – M8D #583

Wittekindstraße – M8C #554

geplant sind, wurde der Bau einer Niederflurstraßenbahn nach Heepen 2014 in einer Bürgerbefragung abgelehnt.

Alle drei Fahrzeuggenerationen der Stadtbahn Bielefeld sind mit Klapptrittstufen ausgerüstet, die neueren vom Typ *Vamos* jedoch nicht an allen Türen. Diese Wagen unterscheiden sich auch durch die wesentlich größere Breite, statt 2,30 m nun 2,65 m, was wie in Hannover durch Aufweitung des Wagenkastens oberhalb der Bahnsteigkante erreicht wurde. Sie können bislang nur auf den Linien 2 und 4 eingesetzt werden, mittelfristig auch auf der Linie 3.

Stadtbahn network, the construction of a low-floor tram line to Heepen was rejected in a referendum in 2014.

All three generations of Stadtbahn vehicles are equipped with folding steps, although the newest type 'Vamos' does not have them at all the doors. The 'Vamos' differs from the older types by its greater width of 2.65 m instead of just 2.30 m; like in Hanover, this was made possible by enlarging the car body above the platform edge. Up to now, the 'Vamos' has only been able to operate on lines 2 and 4, but in the mid-term it will run on line 3, too.

Universität > Wellensiek – Vamos #5011

Altenhagen – M8D #567

Fahrzeuge | *Rolling Stock*

Nummer *Number*	Anzahl *Quantity*	Hersteller *Manufacturer*	Typ *Class*	Länge *Length*	Breite *Width*	Ausgeliefert *Delivered*
516...559	24	Duewag/ABB	M8C	26.6 m	2.30 m	1982-1987
560-595	36	Siemens/Adtranz	M8D	26.9 m	2.30 m	1994, 1998
511-515	5	Siemens/Adtranz	MB4 (Mittelwagen | *centre trailer*)	14.2 m	2.30 m	1999
5001-5016	16	HeiterBlick/Vossloh-Kiepe	GTZ8-B *Vamos*	34.3 m	2.65 m	2011-2012
bestellt	*ordered* 01/2018	24	HeiterBlick/Kiepe Electric	GTZ8-B *Vamos*	34.3 m	2.65 m	2020-

Rudolf-Oetker-Halle

Hauptbahnhof

49

Gleis 1
U35 Riemke Markt

Zeche Constantin

U35 Zeche Constantin – B80D #6021

BOCHUM/GELSENKIRCHEN

Das Schienennetz der Städte Bochum und Gelsenkirchen wird von der BOGESTRA (*Bochum-Gelsenkirchener Straßenbahn AG*) betrieben, deren Strecken außerdem die Städte Herne (inkl. Wanne-Eickel), Hattingen und Witten erreichen. Im gesamten Einzugsbereich der BOGESTRA leben rund 900.000 Menschen. Es gilt der VRR-Tarif (zum Erkunden des Gesamtnetzes ist ein 24-Stunden-Ticket der Preisstufe B für 14,50 € nötig!).

Das Stadtbahnkonzept der 1970er Jahre sah für diese Region ein Netz mit drei Stammstrecken vor, die sich am Bochumer Hauptbahnhof kreuzen sollten. Während die geplante Strecke von Hattingen nach Castrop-Rauxel nur als U-Straßenbahn durch die Bochumer Innenstadt verwirklicht wurde, entstand für die Nordwest-Südost-Strecke neben dem Bochumer Innenstadttunnel auch ein 5,4 km langer U-Strab-Tunnel in Gelsenkirchen. Der mittlere Abschnitt der einst geplanten Nord-Süd-Strecke von Recklinghausen nach Witten zählt mit der U35 hingegen heute zu den U-Bahn-ähnlichsten Stadtbahnstrecken des Ruhrgebiets.

Die Tunnelbauarbeiten im Bochumer Zentrum begannen im Jahr 1970, wobei vorwiegend bergmännisch gebaut wurde. Der Innenstadttunnel in Gelsenkirchen wurde ab 1984 hingegen in offener Bauweise errichtet. Trotz des Einsatzes von mittlerweile 30 m langen Fahrzeugen wirken die 115 m langen, nach U-Bahn-Kriterien gebauten U-Strab-Stationen überdimensioniert. Am Bochumer Hauptbahnhof kann man auf der unteren Ebene zwischen den Linien 302/310 und der U35 bequem im Richtungsbetrieb umsteigen. Wegen der nachträglichen Einbindung der Straßen-

The urban rail network in the cities of Bochum and Gelsenkirchen is operated by the BOGESTRA (Bochum-Gelsenkirchener Straßenbahn AG), whose lines also reach the cities of Herne (incl. Wanne-Eickel), Hattingen and Witten. The extensive region served by the BOGESTRA is home to approximately 900,000 people and is part of the VRR fare system (to explore the entire network, a 24-hour pass of type B is required, which costs €14.50).

For this area, the Stadtbahn project from the 1970s included three trunk routes which were to intersect at Bochum Hauptbahnhof. Whereas the planned route from Hattingen to Castrop-Rauxel has only been built in the form of a tram tunnel through the Bochum city centre, the northwest-southeast route materialised not only in the form of a Bochum city tunnel, but also a 5.4 km tram tunnel in Gelsenkirchen. The middle section of the once planned north-south line from Recklinghausen to Witten, however, has become one of the most metro-style Stadtbahn lines (U35) in the entire Ruhr District.

Tunnel construction began in the centre of Bochum in 1970 and was mostly carried out using the NATM (New Austrian Tunnelling Method). Starting in 1984, the tunnel through the Gelsenkirchen city centre was built by cut-and-cover. Despite the use of trams now 30 m long, the 115 m underground tram platforms built to U-Bahn standard appear somewhat oversized. At Bochum Hauptbahnhof, convenient cross-platform interchange is provided between lines 302/310 and U35. The construction of Bochum's second tram tunnel was delayed because

U35 Ruhr-Universität – B80D #6006

Bismarckstraße – Variobahn #104

bahnlinie 306 verzögerten sich die Bauarbeiten am zweiten U-Strab-Tunnel. Die Linie 306 fährt nun über eine eigene Rampe am Rathaus in den Tunnel, durchquert auf einer verglasten Brücke den unterirdischen Bahnhof Rathaus (Süd) der Linien 302/310 und fädelt dann am Hauptbahnhof kreuzungsfrei in die obere Ebene (Linien 308/318) ein.

Bis auf einen 850 m langen Abschnitt zwischen den Haltestellen Wasserstraße und Brenscheder Straße, auf dem drei Bahnübergänge liegen, erfüllt die normalspurige **Stadtbahnlinie U35** („CampusLinie") alle U-Bahn-Kriterien. Der Abschnitt in Herne samt Stationen wurde größtenteils in offener Bauweise errichtet, die Bochumer Strecken und Bahnhöfe entstanden hingegen meist in bergmännischer Bauweise per NÖT. Der südliche, oberirdische Abschnitt war bereits Anfang der 1970er Jahre als meterspurige, kreuzungsfreie Schnellstraßenbahn im Mittelstreifen einer Schnellstraße zur Universität entstanden. Diese Strecke wurde 1993 umgespurt und mit Hochbahnsteigen ausgestattet, weshalb in Bochum von Anfang an Fahrzeuge ohne Klapptrittstufen eingesetzt werden konnten. Diese verkehren allerdings höchstens als Doppeltraktionen (54 m), teils auch Solowagen. Die Haltestelle Gesundheitscampus wurde erst 2017 eingefügt.

Die Linien 301, 302, 306 und 308 verkehren wochentags tagsüber im 10-Minuten-Takt, die Linien 310 und 318

a separate connecting tunnel for line 306 had later been added to the project. This line now uses its own ramp at Rathaus, then crosses the station Rathaus (Süd) (302/310) on an encased bridge before terminating at Hauptbahnhof on the upper level (lines 308/318).

Except for an 850 m section between Wasserstraße and Brenscheder Straße which features three level crossings, the standard-gauge Stadtbahn line U35 ('CampusLinie'), could be classified as a 'real' metro line. The tunnel in Herne, along with its stations, was mostly built by cut-and-cover, whereas most tunnel segments and stations in Bochum were excavated using the NATM. The southern section, which runs on the surface in the middle strip of a dual carriageway to the University, had been built in the early 1970s as a metre-gauge, grade-separated rapid tram line. It was regauged in 1993, when the stops were also equipped with high platforms; from the beginning of Stadtbahn operation, Bochum was thus able to use vehicles without the otherwise typical folding steps. However, only two-car trains (54 m) or even single cars are in service. Gesundheitscampus station was only added in 2017.

During daytime service, lines 301, 302, 306 and 308 operate every 10 minutes whereas lines 310 and 318 only run every 20 minutes. Line U35 operates every five

Stadtbahn (U35 - 1435 mm)

15.4 km (~ 11 km Ⓤ)
22 Haltestellen | stops (15 Ⓤ)

02-09-1989 Schloss Strünkede – Bochum Hauptbahnhof
27-11-1993 Bochum Hbf – Waldring ◢ Wasserstr. – Hustadt
18-11-2017 + Gesundheitscampus

U-Straßenbahn (1000 mm)

88 km (~ 11.7 km Ⓤ)
169 Haltestellen | stops (13 Ⓤ)

26-05-1979 ◣ Schauspielhaus – Bochum Hauptbahnhof
28-11-1981 Bochum Hauptbahnhof – Planetarium ◢
01-09-1984 Rheinelbestraße ◣ Gelsenkirchen Hbf –
         Heinrich-König-Platz ◢ Musiktheater
29-05-1994 Heinrich-König-Platz – Trinenkamp ◢ Zoo
29-01-2006 ◣ Bochumer Verein – Lohring ◢
         Bochum Rathaus ◣ Bochum Hauptbahnhof

U35 Feldsieper Straße – Tango #6026

Rathaus (Süd) – Variobahn #527 & #510

nur alle 20 Minuten. Auf der U35 besteht zwischen Hustadt und Riemke Markt tagsüber ein 5-Minuten-Takt, der nördliche Abschnitt nach Herne wird alle 10 Minuten bedient.

Über die Linie 107 ist das BOGESTRA-Netz direkt mit dem Netz der Essener RUHRBAHN verbunden und in Gelsenkirchen-Horst trifft die meterspurige Linie 301 auf die normalspurige Essener Stadtbahnlinie U17.

minutes between Hustadt and Riemke Markt, and every 10 minutes on the northern section to Herne.

The BOGESTRA network is directly linked to the Essen RUHRBAHN network via line 107, but passengers can also travel via Gelsenkirchen Horst, where the metre-gauge line 301 meets the Essen standard-gauge Stadtbahn line U17.

Ruhr-Universität – Tango #6026

U35 Deutsches Bergbau-Museum – B80D #6014

Fahrzeuge | Rolling Stock

Nummer Number	Anzahl Quantity	Hersteller Manufacturer	Typ Class	Länge Length	Breite Width	Ausgeliefert Delivered
310...332	13	Duewag	M6S/M6C	20.4 m	2.30 m	1976-1977
401...440	20	Duewag	NF6D/MGT6D	29.8 m	2.30 m	1993-1994
501-545	45	Stadler	Variobahn	29.6 m	2.30 m	2008-2015
101-142	31/42	Stadler	Variobahn	29.6 m	2.30 m	2016-
- Stadtbahn (U35):						
6001-6025	25	Duewag	B80D	26.9 m	2.65 m	1988, 1993
6026-6031	6	Stadler	Tango	28.2 m	2.65 m	2007-2008

301 ▶ Buer, GE-Horst
Friesenstr.
Erle Forsthaus
ZOOM Erlebniswelt
Rhein-Herne-Kanal
U35
Schloß Strünkede
Dortmund
Herne-Börnig
Herne Bahnhof
Herne
Herne Mitte
GE-Zoo
Trinenkamp
302 ▶ Buer
Berliner Brücke
Bergwerk Consolidation
Am Busch-mannshof
306
Wanne-Eickel Hbf
HERNE
Archäologie-Museum/Kreuzkirche
Bismarckstraße
Solbad
Hölkeskampring
HER-Berninghausstraße
Grillostr.
GELSENKIRCHEN
Im Sportpark
308 ▶ Gerthe, Schürbankstr.
Grenz-str.
Leipziger Str.
Kennedyplatz
Heisterkamp
Hugenpoth
BO-Nokia
Gerthe Mitte
Heinrichstraße
Musiktheater
Heinrich-König-Platz
Eickel Kirche
Auf der Wenge
BO-Hannibal Einkaufscentrum
BO-Rensingstraße
Punges Feld
Handwerksweg
107 301
Hannibalstraße
U35
Riemke Markt
Kolpingplatz
Nordbad
GELSENKIRCHEN
Hbf
HER-Eickeler Straße
Zeche Constantin
BOCHUM
Weserstraße
Rheinelbestr.
Hordeler Straße
Wissenschaftspark
Stephanstr.
Breslauer Straße
Feldsieper Straße
Rottmannstr.
GE-Rotthausen
Gesamtschule Uckendorf
Bodelschwinghplatz
BO-Hamme
Deutsches Bergbau-Museum
Stahlwerke Bochum
rewirpowerSTADION
GE-Uckendorfer Platz
Hamme Kirche
Robertstr.
Brückstr.
Planetarium
BO-Watermanns Weg
Amtsstr.
Bochum-Präsident Bf
BO-Rathaus
(Nord)
306 318
Dortmund
Lohrheidestr.
Elbinger Str.
Goldhammer Str.
Bochumer Verein/ Jahrhundert-halle
BO West (Süd)
BOCHUM Hbf
Lohring
Freigrafen-damm
Mettestr.
Wattenscheid Post
Alte Heide
Westpark
Oskar-Hoffmann-Straße
Dannenbaumstr.
Freiheitstr.
Centrumplatz
Wattenscheider Str.
Bermuda3eck/ Musikforum
Altenbochum Kirche
Laer Mitte
August-Bebel-Pl.
Querstr.
Engelsburger Str.
Erzstr.
Schau-spielhaus
Waldring
Mark 51°7
Vietingstr.
Leibnizstr.
Jacob-Mayer-Str./ Jahrhunderthalle
Wasserstraße
302 ▶ Langendreer
310 ▶ Witten, Heven Dorf
Essen
Wattenscheid
Röntgenstr.
BO-Ehrenfeld
Bergmannsheil
310
Bruckerstr.
Friederikastraße
Brenscheder Straße
Querenburg
Hustadt (TQ)
Höntrop Kirche
Kohlenstraße
Markstraße
Lennershof BO
S1
Wattenscheid-Höntrop
Knoopstraße
U35
Essen
Weitmar Mitte
Gesundheitscampus
Ruhr-Universität
BOCHUM
Haus Weitmar
308 ▶ Hattingen
318 ▶ Dahlhausen
Blankensteiner Straße

1 km

U35 Gesundheitscampus

Bermuda3eck/Musikforum – NF6D #434 (2012)

U35 Waldring – B80D #6021

Musiktheater – Variobahn #104

Bergwerk Consolidation – Variobahn #515

Lohring – M6S #326

Bonn Hauptbahnhof – B80C (ex B100S) #7651

BONN

Die ehemalige Bundeshauptstadt Bonn hat 325.000 Einwohner. Sie liegt beiderseits des Rheins am südlichen Rand des Bundeslandes Nordrhein-Westfalen und ist mit Köln durch zwei DB-Strecken sowie zwei Stadtbahnstrecken (Linien 16 und 18) verbunden; eine dritte Stadtbahnverbindung, nun rechts des Rheins über Niederkassel, ist mittelfristig geplant. Die Bonner Stadtbahn und Straßenbahn werden von der SWB (*Stadtwerke Bonn GmbH*) betrieben, die Linien 16 und 18 gemeinsam mit den *Kölner Verkehrsbetrieben* (KVB). Beide Unternehmen sind Partner im *Verkehrsverbund Rhein-Sieg* (VRS): Für Bonn benötigt man ein Ticket der Preisstufe 1b (Tageskarte 8,80 €), für das Umland gilt Preisstufe 2b (11,10 €) bis Preisstufe 4 für Köln (19,10 €).

Das Bonner Stadtbahnnetz umfasst vier Linien, dazu kommen einzelne Fahrten der Linien 67 und 68. Die Linie 66 fährt tagsüber zwischen Siegburg und Ramersdorf im 10-Minuten-Takt, die kombinierte Linie 16/63 im 7½- bis 10-Minuten-Takt, die Linie 18 tagsüber hingegen nur alle 20 Minuten. Neben der Stadtbahn besitzt Bonn noch ein konventionelles Straßenbahnnetz, die beiden Netze teilen sich im Stadtzentrum und auf der Kennedybrücke sowie zwischen Ramersdorf (inkl. U-Bahnhof) und Oberkassel Süd/Römlinghoven abschnittsweise dieselben Gleise. Auf letzterem Abschnitt stehen aufgrund des Mischbetriebs keine Hochbahnsteige zur Verfügung, der Rest des Bonner Stadtbahnnetzes ist weitgehend barrierefrei zugänglich (fehlende Aufzüge an den Stationen Bundesrechnungshof, Juridicum und Buschdorf; teils fehlende Hochbahnsteige auf der Überlandstrecke der Linie 16).

The former West German capital Bonn has 325,000 inhabitants. It is located on both sides of the River Rhine at the southern tip of the state of North Rhine-Westphalia. The city is linked to Cologne via two DB and two Stadtbahn routes (lines 16 & 18); a third Stadtbahn link, this time on the right bank of the Rhine via Niederkassel, is planned in the mid-term future. Bonn's Stadtbahn and trams are operated by SWB (*Stadtwerke Bonn GmbH*), although lines 16 and 18 are jointly operated with Co-

Stadtbahn

41.7 km* (~ 9 km Ⓤ),
51 Haltestellen | *stops* (13 Ⓤ)

23-03-1975	Bonn Hbf – Heussallee ◢ Ollenhauerstraße
12-08-1978	[*Köln* –] Buschdorf – Bonn West ◣ Bonn Hbf
21-04-1979	Bonn Hauptbahnhof ◢ Stadthaus
27-04-1979	Olof-Palme-Allee ◣ Robert-Schuman-Platz ◢ Rheinaue
05-09-1981	Rheinaue ◣ Ramersdorf ◢ Oberkassel Nord
25-06-1983	[*Oberkassel Süd* –] Oberdollendorf Nord – Oberdollendorf [– *Longenburg*]
26-10-1985	Bonn West – Dransdorf [– *Köln*]
23-09-1994	Hochkreuz ◣ Wurzer Straße – Bad Godesberg Stadthalle

* nur Stadtbahnstrecken (Überlandlinien 16 und 18 nach Köln bis Bonner Stadtgrenze enthalten, Rest in der Köln-Tabelle)
* only Stadtbahn routes (interurban lines 16 and 18 to Cologne counted up to Bonn city boundary, with the rest being included in Cologne section)

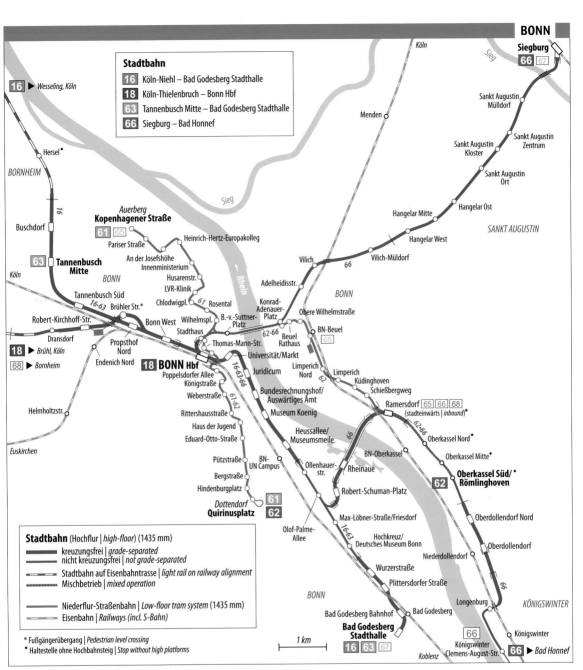

Stadtbahn

16	Köln-Niehl – Bad Godesberg Stadthalle
18	Köln-Thielenbruch – Bonn Hbf
63	Tannenbusch Mitte – Bad Godesberg Stadthalle
66	Siegburg – Bad Honnef

Stadtbahn (Hochflur | high-floor) (1435 mm)

kreuzungsfrei | grade-separated
nicht kreuzungsfrei | not grade-separated
Stadtbahn auf Eisenbahntrasse | light rail on railway alignment
Mischbetrieb | mixed operation

Niederflur-Straßenbahn | Low-floor tram system (1435 mm)
Eisenbahn | Railways (incl. S-Bahn)

* Fußgängerübergang | Pedestrian level crossing
◆ Haltestelle ohne Hochbahnsteig | Stop without high platforms

1 km

Juridicum – B100S #7758

logne's KVB. Both operators are integrated into the VRS fare system (Verkehrsverbund Rhein-Sieg): A day pass for Bonn costs €8.80 (fare zone 1b), while trips beyond the city borders cost from €11.10 (2b) to €19.10 (zone 4 incl. Cologne).

Bonn's Stadtbahn network currently comprises four lines, not counting lines 67 and 68, which provide a very limited service. During daytime service, line 66 runs every 10 minutes between Siegburg and Ramersdorf, and the combined line 16/63 operates every 7½ or 10 minutes. Line 18, however, only offers a 20-minute daytime service. Besides the Stadtbahn network, Bonn has preserved a tram network, with both systems partly sharing the same tracks in the city centre and on the Kennedy Bridge as well as between Ramersdorf and Oberkassel Süd/

Bertha-von-Suttner-Platz – B100C #9357 & #9373

Ramersdorf – Tram #9458

Der Tunnelbau begann in Bonn im Jahr 1967. Die Hauptstrecke vom Hauptbahnhof ins damalige Regierungsviertel sollte es ermöglichen, aus den verschiedenen bestehenden Überlandbahnen durchgehende Verbindungen zu machen. Das bis heute verwirklichte Netz entspricht weitgehend der 1972 beschlossenen Linie A, der Ast nach Siegburg gehört planerisch zur Linie B, deren westlicher Ast zum Hardtberg zwar immer wieder in den Planungen auftaucht, gegebenenfalls allerdings als Straßenbahn gebaut wird. Eine einst geplante dritte Stammstrecke wird nicht weiterverfolgt, stattdessen beschloss man 1994, den Rest des Straßenbahnnetzes beizubehalten und mit neuen Niederflurfahrzeugen zu betreiben.

Anders als in Köln wurden in Bonn von Anfang an alle unterirdischen Bahnhöfe mit Hochbahnsteigen gebaut, was ihnen einen stärkeren U-Bahn-Charakter verleiht. Bei Inbetriebnahme der ersten Tunnelstrecke 1975 trugen die Stadtbahnzüge sogar die Bezeichnung „U3". Nach und nach wurden am Hauptbahnhof die Rheinuferbahn (1978), die Siegburger Bahn (1979), die Siebengebirgsbahn (1981) und schließlich die Vorgebirgsbahn (1985) an den Bonner Stadtbahntunnel angeschlossen. In den 1990er Jahren wurde das Netz um einen Tunnel in Bad Godesberg erweitert. Bis auf einen Teilabschnitt in Bad Godesberg wurden alle Strecken in offener Bauweise errichtet. Zuletzt wurde 2008-2011 die Rampe an der Ollenhauerstraße 140 m nach Süden versetzt, um den neuen Kreisel an der Marie-Kahle-Allee unterirdisch kreuzen zu können.

Bei der Bonner Stadtbahn sind die gleichen Fahrzeuge wie im Kölner Hochflurnetz im Einsatz. Die Bonner B-Wagen waren ursprünglich durch den grünen Anstrich zu unterscheiden, welcher heute noch vereinzelt zu sehen ist. Derzeit läuft ein Modernisierungsprogramm, wobei die Wagen eine leicht veränderte Front und einen rot-weißen Anstrich bekommen. Zehn ex-Bonner B-Wagen verkehren heute noch in Dortmund. Diese waren frei geworden, nachdem auch Bonn 15 Fahrzeuge des Typs K5000 von Bombardier erwarb, welche äußerlich von den Kölner Wagen nicht zu unterscheiden sind und meist auf den städteverbindenden Linien 16 und 18 verkehren.

Römlinghoven. Due to the mixed operation, there are no high-level platforms on the latter stretch, while the rest of the Stadtbahn network is mostly fully accessible (there are no lifts at Bundesrechnungshof, Juridicum and Buschdorf stations; no high-level platforms at some stops on the interurban stretch of line 16).

In Bonn, tunnel construction began in 1967. The main route from the central station to the former government district was to allow for the interconnection of various suburban railways. Today's network largely corresponds with trunk route A as approved in 1972. The present branch to Siegburg was planned as part of route B, whose the western leg to Hardtberg has been postponed time and again and might one day be built as part of the tram network. A once-proposed third route is no longer pursued; instead, a decision was taken in 1994 to maintain the tram network and purchase new low-floor trams.

Unlike in Cologne, the underground stations in Bonn were built with high platforms from the beginning, thus creating a more metro-like atmosphere. When the first tunnel section opened in 1975, the Stadtbahn trains even carried the line designation 'U3'. Gradually, the existing suburban lines were linked to the tunnel at Hauptbahnhof: the Rheinuferbahn (1978), the Siegburger Bahn (1979), the Siebengebirgsbahn (1981) and finally the Vorgebirgsbahn (1985). During the 1990s, the Stadtbahn network was complemented with a tunnel in Bad Godesberg. Except for a short stretch on this extension, all other tunnels in Bonn were built by cut-and-cover. The most recent investment in the tunnel system was a new ramp at Ollenhauerstraße, built in 2008-2011 some 140 m further south to avoid the need to cross a new roundabout at Marie-Kahle-Allee at grade.

In Bonn the same types of Stadtbahn cars as in Cologne are used. The Bonn B cars initially all carried a green livery, but those which have recently been modernised boast a slightly different front and a red/white livery. Ten ex Bonn B cars are still in service in Dortmund, having become redundant when Bonn ordered 15 vehicles of class K5000 from Bombardier. The new cars are identical to the Cologne cars and are mostly in service on the interurban lines 16 and 18.

Fahrzeuge | Rolling Stock

Nummer Number	Anzahl Quantity	Hersteller Manufacturer	Typ Class	Länge Length	Breite Width	Ausgeliefert Delivered
7456...9376	61	Duewag	B100S & B100C	28.0 m	2.65 m	1974-77, 1984, 1993
0360-0374	15	Bombardier	K5000 Flexity Swift	29.3 m	2.65 m	2003

Bundesrechnungshof/Auswärtiges Amt – B100S #8456

Bad Godesberg Bahnhof – B100S #8377

Stadtgarten – B80C #353

DORTMUND

Mit rund 585.000 Einwohnern liegt Dortmund am östlichen Rand des Rhein-Ruhr-Ballungsraums. Anders als bei den übrigen Stadtbahnstädten der Region, deren Netze miteinander verbunden sind, ist das städtische Dortmunder Schienennetz völlig eigenständig. Dieses wird von der DSW21, einer Tochtergesellschaft der *Dortmunder Stadtwerke AG*, betrieben. Dortmund ist Teil des VRR, für das städtische Schienennetz reicht ein 24-Stunden-Ticket der Preisstufe A für 7,10 € (ausgenommen U41 jenseits von Brechten). Alle Linien verkehren tagsüber im 10-Minuten-Takt, die U43 auf dem zentralen Abschnitt alle 5 Minuten. Am U-Bahnhof Westfalenhallen gehen die Linien U45 und U46 ineinander über.

● Stadtbahn

Das Dortmunder Stadtbahnnetz besteht aus drei klar erkennbaren, normalspurigen Stammstrecken, die sich im Zentrum in Dreiecksform kreuzen. Während die beiden ersten Strecken typische Stadtbahnen darstellen, muss die dritte (U43/44) aufgrund des mangelhaften Ausbauzustands ihrer oberirdischen Zulaufstrecken eher als „U-Strab" bezeichnet werden.

Die Stadt Dortmund beschloss 1968, die Straßenbahnen im Zentrum in den Untergrund zu verlegen. Wenig später gingen die ersten Planungen im Gesamtprojekt der „Stadtbahn Rhein-Ruhr" auf, welches einen völlig kreuzungsfreien Ausbau der Neubaustrecken vorsah und langfristig in einer echten U-Bahn enden sollte. Der Bau der ersten Stammstrecke (I), größtenteils in offener Bauweise, begann bereits 1969, die ersten Tunnelstrecken konnten aber erst 1983 in Betrieb genommen werden. Der nördliche

Dortmund is located at the eastern edge of the Rhine-Ruhr District and has 585,000 inhabitants. Whereas all the other Stadtbahn networks in this region are somehow connected with each other, the standard-gauge Dortmund network is isolated from the rest. This network is operated by the DSW21, a subsidiary of the 'Dortmunder Stadtwerke AG'. Dortmund is part of the VRR fare system, and a type A 24-hour pass (€7.10) is enough to explore the entire system except the U41 beyond Brechten. All the lines operate every 10 minutes during daytime service, line U43 on its central section every 5 minutes. At Westfalenhallen, line U45 continues as U46, and vice versa.

● Stadtbahn

The Dortmund Stadtbahn network consists of three clearly separated routes which form a triangle in the city centre. While the first two are typical Stadtbahn routes, the third (U43/44) remains a classic tramway, with long street-running sections and a tunnel just through the city centre.

Dortmund decided in 1968 to put all the tramway routes in the city centre underground. Shortly after, the initial plans were integrated into the 'Stadtbahn Rhein-Ruhr' project, which envisaged fully segregated surface routes, leading to a full-scale metro in the long term. The construction (mostly by cut-and-cover) of the first trunk route (I) began in 1969, but the first sections were only brought into service in 1983. Prior to that, the northern section of the second trunk route (II) from Franz-Zimmer-Siedlung to Grevel (4.5 km, mostly elevat-

Markgrafenstraße – B80C #346

Stadtbahn

52.4 km (~ 16.5 km Ⓤ)
83 Haltestellen | *stops* (24 Ⓤ)

15-05-1976 Franz-Zimmer-Siedlung – Grevel (II)
27-05-1983 ◣ Hörde Bahnhof – Clarenberg (I)
03-06-1984 ◣ Münsterstraße – Hbf – Hacheney (I)
◣ Schützenstraße – Leopoldstraße (I)
Markgrafenstraße ◢ Märkische Straße (I)
24-08-1986 Markgrafenstr. – Märkische Str. – Hörde Bf (I)
Märkische Straße ◢ Kohlgartenstraße (I)
27-05-1990 Westfalenpark – Stadion (I)
13-01-1992 Hafen – Insterburger Straße (I)
26-09-1992 ◣ Brunnenstraße – Stadtgarten (II)
01-04-1995 Stadtgarten – Städtische Kliniken (II)
28-05-1996 Stadtgarten – Polizeipräsidium (II)
21-05-1998 Polizeipräsidium – Westfalenhallen
◢ Stadion / Remydamm (I) & (II)
16-06-2002 Städtische Kliniken – Kreuzstraße
◢ Theodor-Fliedner-Heim (II)
06-12-2003 Hauptfriedhof (I)
20-03-2005 Barop Parkhaus (II)
14-11-2016 Hauptfriedhof ◣ *300 m Tunnel* ◢ Allerstraße

U-Straßenbahn

19.5 km (~ 2.5 km Ⓤ)
42 Haltestellen | *stops* (5 Ⓤ)

28-04-2008 Heinrichstraße ◣ Unionstraße ◢ Geschwister-
Scholl-Straße / – Ostentor ◢ Lippestraße

◣ Tunneleinfahrt
tunnel portal

◤ ehemalige Rampe
former ramp

Möllerbrücke – B80C #341

Hörde Bahnhof – B80C #306

DORTMUND

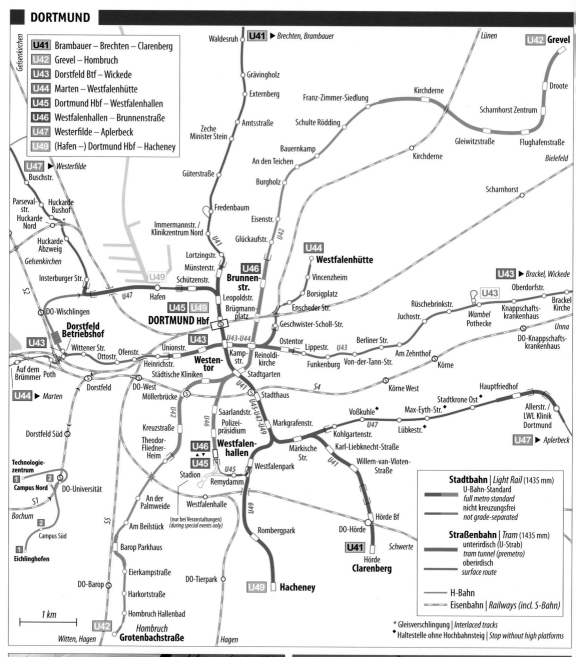

U41	Brambauer – Brechten – Clarenberg
U42	Grevel – Hombruch
U43	Dorstfeld Btf – Wickede
U44	Marten – Westfalenhütte
U45	Dortmund Hbf – Westfalenhallen
U46	Westfalenhallen – Brunnenstraße
U47	Westerfilde – Aplerbeck
U49	(Hafen –) Dortmund Hbf – Hacheney

Gelsenkirchen

U41 ▶ *Brechten, Brambauer*
Waldesruh
Lünen
U42 **Grevel**

Grävingholz
Kirchderne
Droote
Externberg
Franz-Zimmer-Siedlung
Scharnhorst Zentrum
Amtsstraße
Schulte Rödding
Zeche Minister Stein
Bauernkamp
Kirchderne
Gleiwitzstraße
Flughafenstraße
An den Teichen
Kirchderne
Bielefeld
Güterstraße
Burgholz
Scharnhorst

U47 ▶ *Westerfilde*
Buschstr.
Fredenbaum
Eisenstr.
Parseval-str.
Huckarde Bushof
Immermannstr. / Klinikzentrum Nord
Glückaufstr.
Huckarde Nord
U44
Huckarde Abzweig
Lortzingstr.
Gelsenkirchen
Münsterstr.
U46
Westfalenhütte
Insterburger Str.
Schützenstr.
Brunnen-str.
Vincenzheim
U43 ▶ *Brackel, Wickede*
Oberdorfstr.
U49
Leopoldstr.
Borsigplatz
Rüschebrinkstr.
Hafen
Brügmann-platz
Enscheder Str.
Juchostr.
Knappschafts-krankenhaus
DO-Wischlingen
U45 **U49**
Geschwister-Scholl-Str.
Wambel Pothecke
Brackel Kirche
Unna
DORTMUND Hbf
Ostentor
Berliner Str.
Dorstfeld Betriebshof
U43
Wittener Str.
Ofenstr.
Unionstr.
Kamp-str.
Lippestr.
Von-der-Tann-Str.
Am Zehnthof
DO-Knappschafts-krankenhaus
U43
Ottostr.
Heinrichstr.
Westen-tor
Reinoldi-kirche
Funkenburg
Körne
Auf dem Brümmer Poth
Städtische Kliniken
Stadtgarten
Körne West
Hauptfriedhof
Dorstfeld
DO-West
Möllerbrücke
Stadthaus
Stadtkrone Ost
Allerstr. / LWL Klinik Dortmund
U44 ▶ *Marten*
Stadthaus
Voßkuhle ◆
Max-Eyth-Str. ◆
Saarlandstr.
Markgrafenstr.
U47 ▶ *Aplerbeck*
Dorstfeld Süd
Polizei-präsidium
Kohlgartenstr.
Lübkestr. ◆
Technologie-zentrum
[1] [2]
U46
Westfalen-hallen
Märkische Str.
Karl-Liebknecht-Straße
Campus Nord
DO-Universität
U45
Westfalenpark
Willem-van-Vloten-Straße
Bochum
[2]
Theodor-Fliedner-Heim
U41
Campus Süd
Stadion
An der Palmweide
Westfalenhalle
Remydamm
Hörde Bf
[1]
Eichlinghofen
(nur bei Veranstaltungen) *(during special events only)*
Rombergpark
DO-Hörde
Am Beilstück
Barop Parkhaus
Hörde
Clarenberg
U41
Eierkampstraße
DO-Tierpark
Schwerte
1 km
DO-Barop
U49 **Hacheney**
Harkortstraße
Hombruch Hallenbad
U42
Witten, Hagen
Hombruch Grotenbachstraße
Hagen

Stadtbahn | *Light Rail* (1435 mm)
U-Bahn-Standard
full metro standard
nicht kreuzungsfrei
not grade-separated

Straßenbahn | *Tram* (1435 mm)
unterirdisch (U-Strab)
tram tunnel (premetro)
oberirdisch
surface route

— H-Bahn
Eisenbahn | *Railways (incl. S-Bahn)*

* Gleisverschlingung | *Interlaced tracks*
◆ Haltestelle ohne Hochbahnsteig | *Stop without high platforms*

Saarlandstraße – B80C #356

Allerstraße/LWL Klinik Dortmund – B80C #326

Städtische Kliniken – B80C #360

Abschnitt der zweiten Stammstrecke (II) von Franz-Zimmer-Siedlung nach Grevel (4,5 km) durch das Neubaugebiet Scharnhorst war bereits 1976 als unabhängig trassierte Schnellstraßenbahn, meist in Hochlage, eröffnet worden. Der Tunnelbau an der Strecke II begann 1985, hier meist mit bergmännischer Bauweise (NÖT). Alle Verzweigungen wurden kreuzungsfrei ausgeführt, der U-Bahnhof Leopoldstraße ist viergleisig, die übrigen Verzweigungsbahnhöfe dreigleisig. Ältere U-Bahnhöfe wurden mit 110 m langen Bahnsteigen errichtet, später beschränkte man diese auf 90 m. Die oberirdischen Haltestellen haben in der Regel 60 m lange Bahnsteige. Die südlichen Äste nach Clarenberg und Hacheney sind voll metromäßig ausgebaut, letztere entstand aus einer 1959 eröffneten Schnellstraßenbahnstrecke. Während die Strecke II durchweg Hochbahnsteige besitzt, fehlen auf der Strecke I noch welche auf der U47 entlang der auszubauenden B1. Auch auf den Stadtbahnstrecken gibt es weiterhin straßenbündige sowie eingleisige Abschnitte. Auf der Strecke I waren noch bis 1999 auch herkömmliche Straßenbahnfahrzeuge vom Typ N8C im Einsatz, weshalb auch die unterirdischen Stationen Abschnitte mit Niedrigbahnsteigen aufweisen mussten.

Einige der Dortmunder B-Wagen unterscheiden sich von anderen B-Wagen in Nordrhein-Westfalen durch ein zusätzliches Mittelteil. Seit 2003 sind in Dortmund außerdem einige B-Wagen aus Bonn im Einsatz.

ed) through the new town of Scharnhorst had opened in 1976 as a totally segregated rapid tramway route. Tunnel construction on route II began in 1985, now mostly using the NATM (New Austrian Tunnelling Method). All the junctions are grade-separated, with Leopoldstraße being a 4-track station, while the other stations where lines split have three tracks. The earlier underground stations have 110 m platforms, but later they were limited to 90 m. The surface stops normally have 60 m long platforms. The southern branches to Clarenberg and Hacheney have full metro standard, the latter having been opened in 1959 as a rapid tram route. Whereas route II boasts high-level platforms at all stops, they have not been built yet at some stops on route I (U41) along road B1, which is to be upgraded to motorway standard. Even on the Stadtbahn routes there remain several sections with on-street running as well as single-track segments. On route I, conventional tram vehicles of class N8C were in service until 1999, when the previously necessary low-level platform sections, even in the underground stations, became redundant.

Some of Dortmund's B cars are the only ones in North Rhine-Westphalia with an additional centre section. Since 2003, some B cars from Bonn have been in service in Dortmund.

Fahrzeuge | Rolling Stock

Nummer *Number*	Anzahl *Quantity*	Hersteller *Manufacturer*	Typ *Class*	Länge *Length*	Breite *Width*	Ausgeliefert *Delivered*
401-410	10	Duewag	B100S (ex Bonn)	26.9 m	2.65 m	1974
301-343	43	Duewag	B80C (6x)	28.0 m	2.65 m	1986-1993
344-364	21	Duewag	B80C (8x)	39.0 m	2.65 m	1993-94, 1998
1-47	47	Bombardier	NGT8 *Flexity Classic*	30.0 m	2.40 m	2007-2012
bestellt | *ordered* 05/2017	24 (+2)	HeiterBlick/Kiepe	*Vamos*			*2020-*

Lippestraße – Flexity #40

Westentor – Duewag N8C #108 (2008)

Unionstraße – Flexity #1

Im Frühjahr 2018 bestellte DSW21 bei HeiterBlick in Leipzig 24 Vamos-Fahrzeuge, welche die ältesten 10 B-Wagen ersetzen und den Bestand erweitern sollen. Gleichzeitig werden von HeiterBlick 64 B-Wagen grundlegend modernisiert.

● **U-Strab**
Bei der erst Anfang des neuen Jahrtausends in bergmännischer Bauweise errichteten Ost-West-Strecke (III) entschied man sich schließlich für den Einsatz von Niederflurfahrzeugen, was die Anpassung der oberirdischen Strecken erleichterte. Anfangs fuhren auch durch den Ost-West-Tunnel noch hochflurige N-Wagen, heute sind hier nur Flexity Classic zu sehen, meist in Doppeltraktion.

In spring 2018, DSW21 ordered a total of 24 Vamos vehicles from HeiterBlick in Leipzig to replace 10 of the oldest B cars and enlarge the fleet. At the same time, HeiterBlick will thoroughly modernise 64 B cars.

● *Underground Tram*
When the third trunk route (III), which runs east-west through the city centre, was eventually built at the beginning of the new millennium, low-floor tram operation was chosen, and so just a few minor changes were required for the connecting surface routes. In the first years, the east-west tunnel was also served by high-floor N trams, but it is now the exclusive domain of the Flexity Classic trams, mostly in two-car formation.

Ostentor

Universität – H-Bahn

Steinsche Gasse – B80C #4703

DUISBURG

Die Industriestadt Duisburg, an der Mündung der Ruhr in den Rhein gelegen, hat rund 500.000 Einwohner. Auf dem städtischen Schienennetz verkehren lediglich drei Linien. Während die beiden Straßenbahnlinien 901 und 903 von der *Duisburger Verkehrsgesellschaft* (DVG) allein betrieben werden, stellt die Stadtbahnlinie U79 eine Gemeinschaftslinie von DVG und Düsseldorfer Rheinbahn dar. Die U79 fährt auf Duisburger Gebiet tagsüber nur alle 15 Minuten, in der Hauptverkehrszeit alle 10 Minuten. Bei den Straßenbahnlinien schwankt der Takt je nach Tageszeit und Streckenabschnitt zwischen 7½ und 15 Minuten. Für Fahrten innerhalb von Duisburg gilt der VRR-Tarif A, in die Nachbarstädte Düsseldorf, Mülheim oder Dinslaken die Preisstufe B (24-Stunden-Karte A 7,10 €, B 14,50 €).

Das Stadtbahnnetz Rhein-Ruhr sah für Duisburg zwei Stammstrecken vor, nämlich einerseits die Verlängerung der aus Essen und Mülheim kommenden Ost-West-Achse über Ruhrort nach Marxloh mit einem Abzweig nach Moers jenseits des Rheins und andererseits eine Nord-Süd-Achse, die Dinslaken im Norden über Duisburg mit Düsseldorf verbinden sollte. Während von der erstgenannten Strecke nur ein kurzer Tunnel durch die Innenstadt gemeinsam mit dem der zweiten Strecke gebaut wurde, entstanden die ersten schnellbahnartigen Abschnitte der Nord-Süd-Strecke bereits Anfang der 1970er Jahre entlang der ehemaligen Überlandstraßenbahn von Duisburg nach Düsseldorf. Dabei wurde eine neue, weitgehend kreuzungsfreie Trasse neben der bestehenden errichtet. Südlich der heutigen Station St.-Anna-Krankenhaus wurde der Hochbahnhof Angerbogen gebaut, der bis heute ungenutzt blieb. Die übrigen Stationen wurden entweder in Hochlage oder, wie Sittardsberg, im Einschnitt errichtet. Die Strecke sollte im

The industrial city of Duisburg is located at the confluence of the Rhine and Ruhr Rivers and has some 500,000 inhabitants. The municipal rail network only comprises three lines. Whereas tram lines 901 and 903 are exclusively DVG lines (Duisburger Verkehrsgesellschaft), line U79 is jointly operated by the DVG and the Düsseldorf Rheinbahn. On Duisburg territory, line U79 runs every 15 minutes off-peak and every 10 minutes during peak hours. The tram lines run every 7½ or 15 minutes, depending on the section and the time of day. For trips within Duisburg, a VRR ticket type A is required, and to neighbouring cities like Düsseldorf, Mülheim and Dinslaken, a type B ticket (24 hours A €7.10, B €14.50).

The Stadtbahn Rhein-Ruhr project included two trunk routes for Duisburg, one being an extension of the east-west route from Essen via Mülheim that was to run northwest to Marxloh via Ruhrort, with a branch across the Rhine to Moers. The second route was a north-south line from Dinslaken to Düsseldorf via Duisburg. Whereas the first route was only realised in the form of a short tunnel through the city centre, the first metro-like sections for the second route were already built in the early 1970s, parallel to the former interurban tram route between Duisburg and Düsseldorf. South of the present St.-Anna-Krankenhaus station, the elevated station Angerbogen was built, but never used. Most of the other stations are also elevated or on an embankment, but Sittardsberg was put into a cutting. Near the DU-Hochfeld railway station, the line was to go underground, but later the intermediate surface route was temporarily upgraded to be used by Stadtbahn cars, although high platforms have not yet been built at some stops.

St.-Anna-Krankenhaus – B80C #4705

Bereich des Bahnhofs DU-Hochfeld in Tiefenlage übergehen, später wurde jedoch das oberirdische Zwischenstück provisorisch für den Einsatz von Stadtbahnfahrzeugen angepasst, bislang noch ohne Hochbahnsteige an einigen Haltestellen.

Die Innenstadtabschnitte beider Stammstrecken wurden in einem gemeinsamen Bauwerk viergleisig gebaut, wobei nun am Hauptbahnhof bahnsteiggleiches

The inner-city sections for both trunk routes were built jointly, resulting in a 4-track tunnel, with cross-platform interchange being provided at Hauptbahnhof. At the central König-Heinrich-Platz station, the two trunk routes are located one above the other. The construction (by cut-and-cover) of the city tunnel started in 1975, but it was not opened until 1992. Between Platanenhof and Meiderich Bahnhof, the U79 Stadtbahn tracks are

Stadtbahn

16.7 km* (~ 6.9 km Ⓤ)
20 Haltestellen | *stops* (6 Ⓤ)

16-12-1970 Sittardsberg
15-09-1971 Waldfriedhof
12-12-1971 Münchener Straße
      1976 Kesselsberg
11-07-1992 *Platanenhof* ◣ Steinsche Gasse – Duissern ◢
23-09-2000 Duissern – Meiderich Bf ◢ *Emilstraße*
11-02-2005 + St. Anna-Krankenhaus

U-Straßenbahn

43.7 km*/** (~ 8.8 km** Ⓤ)
76 Haltestellen | *stops* (7 Ⓤ)

11-07-1992 *Landesarchiv NRW* ◣ Duisburg Rathaus –
           Duisburg Hauptbahnhof ◢ *Lutherplatz*

* U79 & 901 bis Stadtgrenze | *U79 & 901 up to city boundary*
** 6.9 km gemeinsam mit Stadtbahn | *shared with Stadtbahn*

◣ Tunneleinfahrt   ◣ ehemalige Rampe
  tunnel portal   *former ramp*

Meiderich Bahnhof – Rheinbahn B80D #4103

Duisburg Rathaus – GT10 NC-DU #1022

Umsteigen im Richtungsbetrieb möglich ist. Am zentralen König-Heinrich-Platz liegen die Bahnsteige der beiden Stammstrecken übereinander. Obwohl der Bau (in offener Bauweise) bereits 1975 begonnen hatte, konnte der Innenstadttunnel erst 1992 in Betrieb genommen werden. Zwischen Platanenhof und Meiderich Bahnhof werden die Gleise der Stadtbahnlinie U79 auch von der Straßenbahn-linie 903 benutzt, weshalb die Bahnsteige aller unter-irdischen Stationen auf etwa einem Drittel ihrer Länge abgesenkt sind.

Einen wesentlichen Zuwachs bekam das Duisburger Stadtbahnnetz im Jahr 2000, als die 3,7 km lange, im Schildvortrieb gebaute Strecke von Duissern unter dem Hafen und der Ruhr hindurch nach Meiderich eröffnet wurde. Dieser Tunnel sollte ursprünglich um zwei weitere Stationen bis zum Landschaftspark Nord verlängert wer-den, was aber mittlerweile nicht mehr verfolgt wird.

Neben den drei unterirdischen Haltestellen im Zentrum von Duisburg hält die Linie 901 auch in drei unterirdischen Haltestellen der Nachbarstadt Mülheim an der Ruhr (siehe S. 81).

Auf der U79 kommen nur die für das Rhein-Ruhr-Gebiet typischen B-Wagen (1983-1985) der DVG, aber auch der Rheinbahn zum Einsatz, auf den ebenso normalspurigen Straßenbahnstrecken verkehren derzeit noch Duewag-Fahrzeuge mit einem nachträglich eingebauten Niederflur-Mittelteil, doch deren Ablöse ist in naher Zukunft durch neue Flexity-Bahnen geplant.

shared with tram line 903, and the underground stations therefore all have a low-level section along a third of the platform's length.

The Duisburg tunnel system was considerably expand-ed in 2000, when a 3.7 km tunnel, built with tunnel bor-ing machines, opened between Duissern and Meiderich, passing under the River Ruhr and the Duisburg harbour. This tunnel was initially planned to be extended by two stations up to Landschaftspark Nord, but this project has meanwhile been shelved.

Besides the three underground stations in Duisburg's city centre, line 901 also serves three underground sta-tions in the neighbouring city of Mülheim (see p. 81).

On line U79, only B cars (1983-1985) are used, both DVG and Rheinbahn stock. The standard-gauge tram lines are operated with Duewag cars, which have all been retro-fitted with a middle low-floor section. However, these cars will be replaced by Flexity trams in the near future.

Steinsche Gasse – GT10 NC-DU #1039

König-Heinrich-Platz – GT10 NC-DU #1004

Duisburg Hbf – GT10 NC-DU #1022

Kesselsberg – Rheinbahn B80D #4280

901 ▶ Obermarxloh
903 ▶ Dinslaken
Theodor-Heuss-Str.
Beeck Denkmal
Landschaftspark Nord
Brauerei
Voßstraße
Emilstraße
Stockumer Str.
Neanderstr.
Meiderich Süd
Meiderich Ost
Oberhausen
Auf dem Damm
Meiderich U79 **Bahnhof**
DU-Obermeiderich
Laar Kirche
Scholtenhofstr.
901
Thyssen Tor 30
DU-Ruhrort
903 U79
Friedrichsplatz
Karlstraße
Oberhausen
Tausendfensterhaus
S2
Ruhr
S1
Vinckeweg
Mülheim
Essen
Duissern
U79
Albertstr.
Kaßlerfelder Str.
Landesarchiv NRW
901
König-Heinrich-Platz
Schweizer Str.
901 ▶ Mülheim
Duisburg Rathaus
Steinsche Gasse
S
DUISBURG
Lutherpl. DU-Zoo/Uni
901
MH-Monning
Platanenhof
Kremerstr.
Hbf
Brückenplatz
Musfeld-str.
* Fußgängerübergang | *Pedestrian level crossing*
◆ Haltestelle ohne Hochbahnsteig
◆ *Stop without high platforms*
Siechenhausstr.
903
Karl-Jarres-Str. ◆
Pauluskirche
Grunewald
Marienhospital
Grunewald
Hochfeld Süd
Betriebshof
Rheinhausen Ost
Kulturstr.
Im Schlenk
Schlenk
Fischerstr.
Krefeld
Rheintörchenstraße
903
Wedau
Neuenhofstr.
Wald-friedhof
Bissingheim
Ehinger Straße
Heiligenbaumstr.
Rheinstahl
U79
S1
Münchener Straße
Buchholz
Tiger & Turtle
Sittardsberg
DU-Entenfang
Mannesmann Tor 1
Mühlenkamp*
903
Hüttenheim
Mannesmann Tor 2
St.-Anna-Krankenhaus
DU-Kesselsberg

U79 **Stadtbahn** | *Light Rail* (1435 mm)
mit U-Bahn-Standard
full metro standard
nicht kreuzungsfrei
not grade-separated

901
903 **Straßenbahn** | *Tram* (1435 mm)
unterirdisch (U-Strab)
tram tunnel (premetro)
oberirdisch
surface route

Eisenbahn | *Railways (incl. S-Bahn)*

1 km

DÜSSELDORF
U79 ▶ Düsseldorf
D-Froschenteich
Düsseldorf

Fahrzeuge | *Rolling Stock*

Nummer *Number*	Anzahl *Quantity*	Hersteller *Manufacturer*	Typ *Class*	Länge *Length*	Breite *Width*	Ausgeliefert *Delivered*
4701-4718	18	Duewag	B80C	28.0 m	2.65 m	1983-1984
1001-1007, 1009-1045	44	Duewag	GT10 NC-DU	32.6 m	2.20 m	1986-1993
bestellt | *ordered* 12/2017	47 (+5)	Bombardier	*Flexity Classic* (70% Niederflur | *low-floor*)	*34.0 m*	*2.30 m*	*2019-2023*

Oberbilker Markt/Warschauer Straße

DÜSSELDORF

Düsseldorf, die Landeshauptstadt des Bundeslandes Nordrhein-Westfalen, liegt am westlichen Rand des Rhein-Ruhr-Ballungsgebiets. In der Stadt selbst leben 620.000 Einwohner; mit den angrenzenden Städten wie Neuss, Meerbusch oder Ratingen, die teils auch von den Bahnen der Rheinbahn erschlossen werden, steigt die Einwohnerzahl auf über eine Million. Das Netz der Rheinbahn ist tariflich in den *Verkehrsverbund Rhein-Ruhr* (VRR), der bis hinter Dortmund reicht, integriert. Eine 24-Stunden-Karte für Düsseldorf kostet 7,10 € (Preisstufe A), über die Stadtgrenzen hinweg gilt Preisstufe B (auch für Neuss!).

Die Linien U72, U73, U75, U78 und U79 verkehren tagsüber alle 10 Minuten; die Linien U71, U74, U76, U77 und U83 alle 20 Minuten.

● **Stadtbahn**

Düsseldorf beschloss 1968 den Bau einer U-Bahn. Die Planungen wurden 1972 in das Gesamtnetz der „Stadtbahn Rhein-Ruhr", die damals noch vollen U-Bahn-Charakter mit ausschließlich kreuzungsfreien Strecken haben sollte, übernommen. Für den Großraum Düsseldorf waren vier Stammlinien vorgesehen, von denen heute zwei teilweise in der Form einer Hochflur-Stadtbahn realisiert sind, nämlich die Ost-West-Achse von Krefeld bzw. Neuss durch die Innenstadt nach Eller, sowie die Nord-Süd-Achse von Duisburg bis in den Düsseldorfer Süden.

Der U-Bahn-Bau begann 1973 entlang der Nordstrecke, gleichzeitig wurde die ehemalige Überlandstraßenbahn nach Duisburg ausgebaut, später auch jene nach Krefeld. Herzstück des Düsseldorfer Stadtbahnnetzes ist der viergleisige Innenstadttunnel, der 1988 vollendet wurde. Wie

Düsseldorf, the capital of the state of North Rhine-Westphalia, is located at the western edge of the Rhine-Ruhr conurbation. The city proper has a population of 620,000, but taking into account neighbouring towns like Neuss, Meerbusch and Ratingen, some of which are also served by the 'Rheinbahn', the population surpasses one million. The 'Rheinbahn' network is integrated into the VRR fare system (Verkehrsverbund Rhein-Ruhr), which extends east beyond Dortmund. A 24-hour ticket for Düsseldorf costs €7.10 (fare zone A), while for trips across the city borders (including Neuss) a type B ticket is required!

Lines U72, U73, U75, U78 and U79 operate every 10 minutes during daytime hours, U71, U74, U76, U77 and U83 every 20 minutes.

● *Stadtbahn*

In 1968, Düsseldorf decided to build an U-Bahn system. In 1972, this project was integrated into the overall Stadtbahn scheme for the Rhine-Ruhr area, and was initially planned to become a full-scale metro network with only grade-separated routes. The Düsseldorf area was to be served by four trunk routes, two of which have been realised in the form of a high-floor Stadtbahn: the east-west route from Krefeld and Neuss to Eller via the city centre, and the north-south route from Duisburg to the southern parts of Düsseldorf.

The construction of the Stadtbahn tunnels began in 1973 along the northern route; at the same time the former interurban tram route to Duisburg was upgraded, just like the interurban line to Krefeld a few years later. The centrepiece of Düsseldorf's Stadtbahn network is

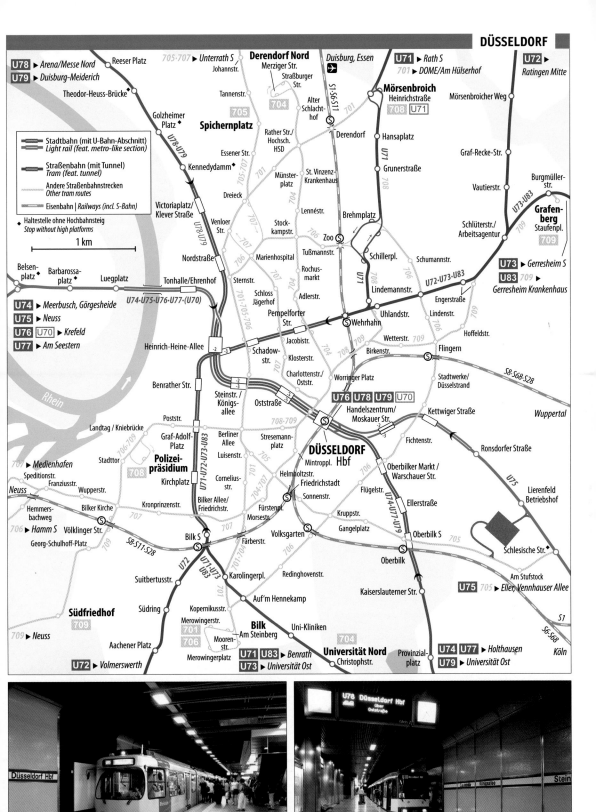

Düsseldorf Hbf – GT8SU #3209

Steinstraße/Königsallee – B80D #4203

Victoriaplatz/Klever Straße – B80D #4236

bei der Münchner U-Bahn durch LZB (Linienzugbeeinflussung) gesteuert, verkehren die Züge der beiden Stammstrecken hier praktisch automatisch parallel zueinander auf eigenen Gleisen. Am Hauptbahnhof und an der Heinrich-Heine-Allee sind zwei Mittelbahnsteige nebeneinander

its 4-track city tunnel, which was completed in 1988. Like the Munich U-Bahn, the tunnel is equipped with LZB (ATO) signalling, so that trains can operate in autopilot mode. At Hauptbahnhof and Heinrich-Heine-Allee, two island platforms are located side by side, whereas at

Stadtbahn

58 km* (~ 7 km Ⓤ)

68 Haltestellen | *stops* (11 Ⓤ)

03-10-1981 *Heinrich-Heine-Allee* ◣ Nordstraße – Victoriaplatz/
    Klever Straße ◢ *Kennedydamm*
07-05-1988 *Oberbilker Markt* ◣ D-Hauptbahnhof – Nordstraße
06-08-1988 Heinrich-Heine-Allee ◢ Tonhalle/Ehrenhof
    (– Oberkasseler Brücke)
26-09-1993 D-Hauptbahnhof – Kettwiger Str. ◢ *Ronsdorfer Str.*
15-06-2002 D-Hauptbahnhof – Oberbilk S ◢ *Kaiserslauterner Str.*
06-09-2004 + Arena/Messe Nord

U-Straßenbahn

36.4 km** (~ 3.4 km Ⓤ)

73 Haltestellen | *stops* (6 Ⓤ)

20-02-2016 *Wehrhahn S* ◣ Pempelforter Str. – Kirchplatz ◢ Bilk S

** U79 bis Stadtgrenze Duisburg | *U79 up to Duisburg city boundary*
** nur U-Strab-Linien (U71-U73, U83), davon 3,9 km gemeinsam mit Stadtbahn
    only underground tram lines (U71-U73, U83), with 3.9 km shared with Stadtbahn

◣ Tunneleinfahrt
    tunnel portal
◣ ehemalige Rampe
    former ramp

Oberbilker Markt/Warschauer Straße

Tonhalle/Ehrenhof
(Oberkasseler Brücke) – B80D #4279

Froschenteich – B80D #4242

angeordnet, an der Steinstraße und Oststraße liegen diese übereinander.

Im Jahr 2002 wurde der Oberbilker Tunnel mit drei U-Bahnhöfen eröffnet; diese unterscheiden sich wesentlich vom Einheitsstil der bis dahin gebauten Bahnhöfe, welche heute trotz Modernisierung etwas dunkel wirken.

Der Ausbau der oberirdischen Stadtbahnstrecken ist in Düsseldorf im Vergleich zu anderen Stadtbahnstädten eher unzureichend: Mehrere Abschnitte liegen noch im Straßenpflaster, etwa im Bereich Golzheimer Platz direkt im Anschluss an den Nordtunnel oder in Eller, und an vielen Haltestellen fehlen Hochbahnsteige, weshalb auch die nächste Fahrzeuggeneration noch mit Klapptrittstufen ausgerüstet sein muss.

Aktuell wird eine Nordtangente, die sog. „U81", vom Flughafen via Messe und über den Rhein nach Meerbusch geplant, wobei am Flughafen eine unterirdische Station errichtet würde.

Bei der Düsseldorfer Stadtbahn verkehren neben den auch in den Nachbarstädten anzutreffenden B-Wagen (1981-1993) auch noch ältere Duewag-Fahrzeuge vom Typ GT8SU (1973-1975), die für die ersten unterirdischen Abschnitte tunneltauglich gemacht wurden. Diese sollen in den kommenden Jahren durch die neuen Fahrzeuge vom Typ Flexity Swift von Bombardier abgelöst werden.

Steinstraße and Oststraße, they are placed one above the other.

In 2002, a tunnel through Oberbilk with three underground stations was added to the network. The bright design of the new stations is in stark contrast to the uniform style of the older stations, which appear somewhat dark despite having undergone some modernisation.

Compared to other cities with Stadtbahn systems, the standard of surface routes in Düsseldorf is rather deficient. Several sections run on-street mixed with motorised traffic, e.g. in the Golzheimer Platz area directly after leaving the northern tunnel, and through the district of Eller. Many stops have not yet been equipped with high platforms, so the next generation of Stadtbahn trains also needs to be equipped with folding steps.

Currently, a northern tangential route (U81) is being planned from the airport via the exhibition centre (Messe) and over the River Rhine to Meerbusch; an underground station would be built at the airport.

Besides the standard B cars (1981-1993) also in service in neighbouring cities, the Düsseldorf Stadtbahn fleet also includes some older Duewag cars of class GT8SU (1973-1975) which were adapted for use in the first tunnel sections. These cars will be replaced in the near future by new Flexity Swift vehicles being delivered by Bombardier.

Fahrzeuge | Rolling Stock

Nummer *Number*	Anzahl *Quantity*	Hersteller *Manufacturer*	Typ *Class*	Länge *Length*	Breite *Width*	Ausgeliefert *Delivered*
Stadtbahn:						
3201...3236	30	Duewag	GT8SU	26.2 m	2.40 m	1973-1974
4002-4012, 4101-4104, 4201-4288	103	Duewag	B80D	28.0 m	2.65 m	1981-1993
4303	1/42	Bombardier	HF6 *Flexity Swift*	28.0 m	2.65 m	2018-2020
Tram*:						
3301-3376	76	Siemens/Vossloh-Kiepe	NF8U	30.0 m	2.40 m	2006-2012

* nur Fahrzeuge für den U-Strab-Betrieb gelistet | *only vehicles used on underground tram routes are listed*

Graf-Adolf-Platz – NF8U #3370

● U-Straßenbahn

Der Bau der dritten Stammstrecke war immer wieder aufgeschoben worden, doch schließlich konnte die 3,4 km lange „Wehrhahnlinie" Anfang 2016 in Betrieb genommen werden. Zur besseren Einbindung in das bestehende Straßenbahnnetz hatte man sich ähnlich wie in Dortmund für einen Niederflurbetrieb entschieden, auch wenn die durch den Tunnel verkehrenden Linien als U71-U73 bzw. U83 bezeichnet werden. Während die sechs unterirdischen Stationen im Stadtzentrum größtenteils in offener Bauweise entstanden, wurden die Streckentunnel mit Schildvortriebs-maschinen aufgefahren. An den Tram-Tunnel schließen heute straßenbündige Abschnitte an, doch eine Tunnelver-längerung an beiden Enden, wie ursprünglich vorgesehen, ist auch in Zukunft noch möglich. Im Süden der Stadt ver-kehren Hochflurstadtbahnen und Niederflurstraßenbahnen abschnittsweise auf denselben Gleisen.

● Underground Tram

The construction of the third route, the so-called 'Wehrhahn line', had been postponed time and again, but eventually in early 2016, the 3.4 km tunnel finally opened. Like in Dortmund, low-floor technology had been chosen for this route to make its integration with the existing tram network easier, although the lines serving the new tunnel have been assigned the numbers U71 to U73 as well as U83. While the six underground stations in the city centre were built by cut-and-cover, the running tunnels were excavated with TBMs. From the tunnel por-tals, trams continue on tracks embedded in the roadway, but an extension of the tunnel, as initially planned, is still possible at either end. In the southern districts of Düsseldorf, high-floor Stadtbahn trains and low-floor trams share the same tracks on some sections.

Kirchplatz

Pempelforter Straße

Benrather Straße

Heinrich-Heine-Allee – NF8U #3324

Kaiser-Wilhelm-Park – B80C #5124

ESSEN/MÜLHEIM an der Ruhr

In Essen, Mülheim an der Ruhr und Oberhausen leben insgesamt rund eine Million Menschen. Seit der Fusion der EVAG und MVG im Jahr 2017 werden fast alle Linien von der RUHRBAHN betrieben (Linie 112 gemeinsam mit Oberhausener STOAG; Linie 901 von Duisburger DVG). Die „U"-Linien sowie die Tram-Linien in Essen verkehren werktags tagsüber im 10-Minuten-Takt, die Tram-Linien in Mülheim nur im 15-Minuten-Takt. Neben den Stadtbahnen führen auch alle Essener Straßenbahnlinien und fast alle Mülheimer Straßenbahnlinien durch Tunnel. Für Fahrten über die jeweiligen Stadtgrenzen hinweg ist i.d.R. ein VRR-Ticket der Preisstufe B erforderlich (24-Stunden-Ticket 14,50 €)!

● **Stadtbahn**
Nachdem in Essen bereits 1967 die erste unterirdische Station gebaut worden war, begann 1974 der Bau der ersten Strecken für die „Stadtbahn Rhein-Ruhr", welche für den Raum Essen drei Hauptstrecken mit mehreren Ergänzungsstrecken enthielt. Als Modellstrecke wurde die Verbindung von Essen nach Mülheim (U18) als Teil der geplanten Ost-West-Achse von Gelsenkirchen bis Duisburg verwirklicht. Diese Strecke verläuft zwischen Savignystraße/ETEC und Eichbaum (4,5 km) im Mittelstreifen des Ruhrschnellwegs (A40) und endet bislang am Mülheimer Hauptbahnhof. Das Essen-Mülheimer Stadtbahnnetz besteht heute aus drei Linien. Während die U18 durchweg kreuzungsfrei ver-

Almost one million people live in the Essen/Mülheim an der Ruhr/Oberhausen area. Since EVAG and MVG merged in 2017, almost all tram and light rail lines have been operated by the RUHRBAHN (line 12 jointly with Oberhausen's STOAG; line 901 by Duisburg's DVG). The U-prefixed lines as well as all the tram lines in Essen run every 10 minutes during daytime hours on weekdays, while trams in Mülheim only operate every 15 minutes. Besides the U lines, all the tram lines in Essen and most of the tram lines in Mülheim also operate through tunnel sections. For journeys across any city border, generally a VRR type B ticket is required (24-hour pass €14.50)!

● *Stadtbahn*
With the first underground tram station having opened in Essen in as early as 1967, the construction of the first routes according to the overall Stadtbahn Rhein-Ruhr scheme began in 1974. For the Essen area, three trunk routes with several complementary routes were planned. The line from Essen to Mülheim (now U18), which was to be part of a long east-west route from Gelsenkirchen to Duisburg, was the first to be realised as a 'model route'. For 4.5 km, from Savignystr./ETEC to Eichbaum, it runs in the middle strip of the A40 motorway before terminating at Mülheim Hauptbahnhof. The Essen-Mülheim Stadtbahn network currently consists of three lines. While line U18 runs totally grade-separated, line U17, which diverges at

kehrt, verläuft die am Bismarckplatz zur Margarethenhöhe ausfädelnde U17 trotz Ausbaus auf Stadtbahnstandard im Jahr 2002 (u.a. Bau von Hochbahnsteigen) weiterhin teils straßenbündig und teils eingleisig.

Vom Hauptbahnhof führt die „Südstrecke" zum Gruga-park und zum Messegelände. Auf dem von der U11 bedien-ten Ast verkehren abschnittsweise auch Straßenbahnen auf einem 3-Schienen-Gleis. Um Richtung Bredeney in Zukunft auch Niederflurfahrzeuge einsetzen zu können, sollen in naher Zukunft die Bahnsteige an den drei betroffenen U-Bahnhöfen (Philharmonie, Rüttenscheider Stern und Martinstraße) auf einem Teilabschnitt abgesenkt werden.

Der Tunnel der „Nordstrecke" wurde bis 2001 vollendet und wird derzeit von der U11 und U17 bedient. Nördlich des U-Bahnhofs Karlsplatz fährt die U11 auf einer ausge-bauten oberirdischen Strecke bis in den Gelsenkirchener Stadtteil Horst weiter, wo sie auf die meterspurige Linie 301 der BOGESTRA trifft.

Während die meisten Strecken in Mülheim sowie im Bereich der Essener Innenstadt in offener Bauweise ent-standen, kam auf der Südstrecke die NÖT zur Anwendung. Auf der Nordstrecke wurde vorwiegend mit Schildvortrieb gebaut, woraus sich die in Deutschland sonst seltenen Röhrenbahnhöfe ergaben.

Auf den Stadtbahnlinien sind neben den für die Stadt-bahn Rhein-Ruhr typischen B-Wagen (1976-1985) auch einige Fahrzeuge unterwegs, die von der fahrerlos betrie-benen Londoner *Docklands Light Railway* (DLR) übernom-men wurden. Diese wurden für den Betrieb in Essen mit Führerständen und Pantografen für den Oberleitungsbe-trieb ausgerüstet und nach und nach gelb gestrichen.

Philharmonie – M8C #1173

Bismarckplatz towards Margarethenhöhe, still features some on-street operation and a short single-track section despite being upgraded to Stadtbahn standard (e.g. with high platforms) in 2002.

From Hauptbahnhof, the southern route leads to the Gruga Park and the trade fair grounds (Messe). This U11 section is partly shared with metre-gauge trams and is therefore equipped with 3-rail tracks. To enable the use of low-floor trams on the route to Bredeney, part of the platforms in the three shared underground stations (Phil-harmonie, Rüttenscheider Stern and Martinstraße) will be lowered in the near future.

The tunnels on the northern route were completed in 2001 and are now served by lines U11 and U17; beyond Karlsplatz, line U11 continues on an upgraded surface route to Gelsenkirchen Horst, where it meets the metre-gauge BOGESTRA tram line 301.

Whereas most tunnel sections in Mülheim and in the Essen city centre were built by cut-and-cover, the southern route was excavated using the NATM, and the northern with tunnel boring machines, resulting in several tube-type stations, which is rather uncommon in Germany.

The Stadtbahn is operated with the typical B cars (1976-1985) as well as vehicles transferred to Essen from the driverless Docklands Light Railway (DLR). For service in Essen these cars had to be retrofitted with driver's cabs and a pantograph for overhead power collection. They have gradually been repainted in Essen's yellow (and blue) livery.

Stadtbahn (1435 mm)

27.5 km (~11 km Ⓤ)
43 Haltestellen | stops (22 Ⓤ)

28-05-1977 Hirschlandplatz – Essen Hbf – Heißen Kirche
03-11-1979 Heißen Kirche – Mülheim Hbf
27-11-1981 Bismarckplatz – Planckstraße ◢ *Gemarkenpl.*
　　　　　Hirschlandplatz – Universität Essen
01-06-1986 Philharmonie – Messe West-Süd/Gruga
24-05-1998 Universität Essen – Altenessen Bf
30-09-2001 Altenessen Bf – Karlsplatz ◢ *II.Schichtstraße*

U-Straßenbahn (1000 mm)

87 km** (~9.7 km* Ⓤ)
13 Ⓤ Haltestellen | stops

05-10-1967 ◣ Philharmonie (Saalbau) ◢
28-05-1977 Philharmonie – Essen Hbf – Essen Rathaus
　　　　　(Porscheplatz) ◢ *
27-04-1985 Mülheim Hbf – Aktienstraße ◢ *Buchenberg*
27-09-1985 Essen Rathaus – Viehofer Platz ◢ *Am Freistein*
01-06-1986 Philharmonie – Martinstraße* – Florastraße ◢
09-11-1991 Essen Rathaus – Berliner Platz ◢ *ThyssenKrupp*
19-09-1998 Mülheim Hbf – Schloss Broich ◢ *Königstraße*

* 1.9 km gemeinsam Stadtbahn/Straßenbahn | *shared Stadtbahn/tram*
** mit Linie 901 (1435 mm) bis Stadtgrenze (MH/DU)
　 including line 901 (1435 mm) up to city boundary (MH/DU)

◤ Tunneleinfahrt
　 tunnel portal
◥ ehemalige Rampe
　 former ramp

Hobeisenbrücke – (ex DLR) P89 #5227

Christianstraße – (ex DLR) P89 #5227

Bismarckplatz – B80C #5141

Universität Essen – B80C #5145

Stadtbahn | Light Rail (1435 mm)

U-Bahn-Standard
full metro standard

nicht kreuzungsfrei
not grade-separated

Straßenbahn | Tram (1000 mm; 901: 1435 mm)

unterirdisch (U-Strab)
tram tunnel (premetro)

oberirdisch
surface route

Stadtbahn-/Straßenbahn-Mischbetrieb
Mixed service light rail/tram (1435/1000 mm)

Nicht im Tunnel verkehrende Straßenbahnlinie
Tram line not running through any tunnel

Eisenbahn | *Railways (incl. S-Bahn)*

301 ▶ Gelsenkirchen
Essener Str.
Buerer Str. U11
Schloß Horst
GE-Fischerstraße
E-Alte Landstraße
Boyerstraße
Arenbergstraße
Rhein-Herne-Kanal
Heßlerstraße
II. Schichtstraße

U17 **Karlsplatz**

107 ▶ Gelsenkirchen
Hanielstraße 107
Katernberger Markt
E-Zollverein Nord

Altenessen-Mitte
Kaiser-Wilhelm-Park
S2
Abzweig Katernberg
Zollverein

BOT-Boy
Gladbeck

BOT-Vonderort

ESSEN

E-Dellwig
S9
E-Dellwig Ost
Reuenberg
103
Dellwig Wertstraße
Münstermannstr.
Leimgardtsfeld
E-Gerschede
Donnerstr.
Armstr.
Zinkstr.
An Don Bosco
Altenberg
Bocholder Str.
E-Bergeborbeck
Bäuminghausstr.

E- Altenessen
Altenessen Bahnhof
108
Höltestraße
Seumannstr.

107
Nikolaustr.
Ernestinenstr.
Krankenhaus Stoppenberg
Herbertshof
Gelsenkirchen

Kapitelwiese

Frintroper Höhe
Am Kreyenkrop
Philippusstift
E-Borbeck
Borbeck Germaniapl.
101 106
Schloß Borbeck
Fliegenbusch
S9
Franziskus-Haus
Abzweig Aktienstr.
103
105
104
Heißener Straße
Lautstr.
E-Borbeck Süd
Bockmühle
Röntgenstr.
Bamlerstr.
Bergmühle
101
106
Jahnplatz
101 106 Helenenstr.
Hamborner Str.
ThyssenKrupp
U11·U17
Katzenbruchstr.
Universität Essen
Rheinischer Platz
Berliner Platz
106
101·103·105·109
U18
Am Freistein
Herzogstr.
Viehofer Platz
105 108
Rathaus Essen
S2

104
MH-Grenze Borbeck
Nordstraße
E-Bonnemannstr.
104
S1·S3
E-Frohnhausen
Sälzerstr.
Frohnhauser Str.
Essen West
Hirschlandstr.
Schederhofstr.
109
ESSEN Hbf
S
107
Hollestr. 103
Wasserturm
Wörthstr.
S1·S3·S9
Bochum
Schwanenbuschstr.
Dinnendahlstr.
103·109 ▶ E-Steele

Frohnhausen Breilsort
109
Kieler Str.
Onckenstr.
A.-Krupp-Schule
Gervinusstr.
Am Riehlpark
Hobeisenbrücke
101·106
Savignystr./ETEC
Bismarckpl.
Aalto-Theater
Kronprinzenstr.
Parkfriedhof
Moltkestr.

Christianstr.
Mühlenfeld
Heißen Kirche
Rosendeller Str.
Eichbaum
U18
MH-Rhein-Ruhr-Zentrum
E-Wickenburgstr.
Breslauer Str.
Rubensstr.
Planckstr.
Gemarkenplatz
Holsterhauser Platz
Halbe Höhe
Klinikum
Landgericht
U17
Zweigertstr.
1)
Rüttenscheider Stern
U11·U17·108
Philharmonie
101
106
Cäcilienstr.
Essen Süd
Töpferstr.
Weserstr.
105
Zeche Ludwig
Oststr.
Schnabelstr.
Rathaus Rellinghausen

MÜLHEIM an der Ruhr

104 112
Hauptfriedhof

Laubenweg
Margarethenhöhe
U17
Martinstraße
Florastraße
Messe Ost / Gruga
Messe West-Süd / Gruga
U11
Alfredusbad
Kruppallee
Frankenstraße
107 108
Bredeney

ESSEN

E-Stadtwald
S6

Rellinghausen Finefraustr.
105

1 km

1) Rüttenscheider Markt (nur zeitweise | *limited service*)

Düsseldorf

Essen Hauptbahnhof – (ex DLR) P89 #5234 & M8C #1158

● **U-Straßenbahn**

Neben der oben erwähnten, mit 3-Schienen-Gleisen ausgerüsteten Südstrecke, auf der meterspurige Straßenbahnen im Mischbetrieb mit der normalspurigen Stadtbahnlinie U11 verkehren, ist das Essener U-Strab-Netz ein Torso geblieben. Die Straßenbahnen aus Bredeney wechseln am viergleisigen Hauptbahnhof, wo auch die Linien 105 und 106 einfädeln, auf die Tramtrasse zum Rathaus Essen (vormals Porscheplatz), wo ebenfalls ein viergleisiger Kreuzungsbahnhof für zwei geplante Stammstrecken errichtet wurde. Die Strecke Richtung Gelsenkirchen erreicht direkt hinter der unterirdischen Station Viehofer Platz die Oberfläche.

Als Teil einer geplanten Ost-West-Stammstrecke von Steele nach Frintrop entstand der Tunnel zwischen Rathaus Essen und Berliner Platz. Längere Anschlusstunnel

● *Underground Tram*

Besides the above-mentioned southern route, which features mixed metre-gauge tram and standard-gauge Stadtbahn service on 3-rail tracks, the rest of the underground tram network has remained a torso. At the 4-track Hauptbahnhof station, where they are joined by lines 105 and 106, trams from Bredeney change over to the low-floor tram platforms before continuing towards Rathaus Essen (formerly Porscheplatz), where another 4-track interchange was laid out for two trunk routes. The route towards Gelsenkirchen emerges from the tunnel just beyond Viehofer Platz station.

The tunnel between Rathaus Essen and Berliner Platz was built as the first section of a planned east-west trunk route from Steele to Frintrop. The construction of exten-

Fahrzeuge | Rolling Stock

Nummer Number	Anzahl Quantity	Hersteller Manufacturer	Typ Class	Länge Length	Breite Width	Ausgeliefert Delivered
Tram (1000 mm):						
1401...1415 (E)	~4	Duewag	M8C	26.6 m	2.30 m	1979-80, 1989-90
1151...1180* (E)	25	Duewag	M8C*	26.6 m	2.30 m	1980-1983
1501-1534 (E)	34	DWA/Adtranz	M8D-NF	28.0 m	2.30 m	1999-2001
1601-1627 (E)	27	Bombardier	M8D-NF2 *Flexity Classic*	29.7 m	2.30 m	2013-2015
277-279, 281 (MH)	4	Duewag	M6C-NF	26.6 m	2.30 m	1977
201-203 (MH), 205-210 (OB)	9	Duewag	MGT6D	28.6 m	2.30 m	1995-1996
8001-8015 (MH)	15	Bombardier	M8D-NF2 *Flexity Classic*	29.7 m	2.30 m	2015-2016
Stadtbahn (1435 mm):						
5101-5111,5121-5128, 5141-5145 (E)	24	Duewag	B80C	28.0 m	2.65 m	1976-1978 1985
5221-5240 (E)	20	LHB/York	P86 & P89 (ex DLR)	28.0 m	2.65 m	1986, 1989
5012-5016 (MH)	5	Duewag	B100S	28.0 m	2.65 m	1976
5031-5032 (MH)	2	Duewag	B80S	28.0 m	2.65 m	1985

* mit Klapptrittstufen | *with folding steps*
(E) = Essen, (MH) = Mülheim, (OB) = Oberhausen

106	Borbeck	sofort
103	Dellwig Wertstr.	sofort
105	Frintrop Unterstrin	2 Min
106	Borbeck	in 6 Min

Gleis 3

106 Germaniaplatz

Berliner Platz (untere Ebene | *lower level*) – Flexity Classic #1626

an beiden Enden standen in den 1990er Jahren kurz vor Baubeginn (U14/U15), sind aber heute in weite Ferne gerückt.

In Mülheim wird der nach Osten verlaufende Tunnel der U18 durch einen U-Strab-Tunnel ergänzt, der von der meterspurigen Linie 102 und im Westabschnitt auch von der normalspurigen Duisburger Linie 901 benutzt wird, weshalb zwischen MH-Hauptbahnhof und der Tunnelausfahrt westlich von Schloss Broich ein 4-Schienen-Gleis verlegt wurde.

Auf den meterspurigen Straßenbahnstrecken der RUHRBAHN verkehren heute größtenteils moderne Niederflurfahrzeuge, doch auf dem Ast nach Bredeney sind die mit Klapptrittstufen ausgerüsteten M8C so lange unverzichtbar, bis ein Umbau der unterirdischen Haltestellen auf der Südstrecke durch Teilabsenkung der Bahnsteige erfolgt ist.

sive tunnels at either side (U14/U15) was set to start in the 1990s, but was later postponed indefinitely.

In Mülheim, the U18 tunnel, which runs east to Essen, is complemented by a tram tunnel through the city centre which is served by the metre-gauge tram line 102, the western part of which is shared by the standard-gauge line 901 from Duisburg. The section between MH-Hauptbahnhof and the tunnel portal west of Schloss Broich station was therefore equipped with 4-rail tracks.

The RUHRBAHN's metre-gauge tram routes are now mostly served by modern low-floor vehicles, but on the southern route to Bredeney, high-floor cars of type M8C equipped with folding steps will be indispensable until the platforms in the shared underground stations have been rebuilt for the use of low-floor trams by lowering part of the existing high-floor platforms.

Mülheim Stadtmitte – DVG GT10 NC-DU #1033

Florastraße – M8C #1162

Westend

FRANKFURT am Main

Mit rund 740.000 Einwohnern ist Frankfurt am Main die fünftgrößte Stadt Deutschlands. Im Frankfurter Ballungs-raum, der sich von Hanau im Osten bis Wiesbaden und Mainz im Westen erstreckt, leben mehr als 2 Millionen Menschen. Bemerkenswert ist, dass sich die Bevölke-rungszahl der Stadt Frankfurt durch die starken Einpendler-ströme tagsüber auf über eine Million erhöht.

Die Stadtbahn wird wie die Straßenbahn im Auftrag der lokalen Nahverkehrsgesellschaft „traffiQ" von der städ-tischen *Verkehrsgesellschaft Frankfurt am Main* (VGF) betrieben. Alle öffentlichen Verkehrsmittel sind im Rhein-Main-Verkehrsverbund (RMV) integriert: Eine Tageskarte für Frankfurt kostet nur 5,35 €, für Fahrten nach Bad Homburg, Oberursel Hohemark oder zum Flughafen ist die Preisstufe 4 nötig (9,55 €).

Das Frankfurter Stadtbahnnetz besteht derzeit aus neun Linien (U1-U9), die im Stadtzentrum drei Stammstrecken (A, B, C) befahren. Auch wenn in Frankfurt von Beginn an auch von offizieller Seite von einer „U-Bahn" gesprochen wurde, so handelt es sich doch um eine klassische „Stadt-bahn", wie z.B. in Hannover, Dortmund oder Stuttgart. Die drei Tunnelstrecken durch die Innenstadt vermitteln durch den Einsatz von 75 m (auf der U4 meist sogar 100 m) langen und 2,65 m breiten Zügen sowie einen dichten Takt den Eindruck einer *echten* U-Bahn. Alle Linien verkehren aber in den Außenbereichen an der Oberfläche, wo die Strecken den typischen Charakter von Stadtbahnen aufwei-sen. Während die Nordäste der A-Strecke nach Bad Hom-burg und Oberursel Hohemark auf ehemalige Lokalbahnen

With a population of 740,000, Frankfurt am Main is Germany's fifth largest city. The Frankfurt metropolitan area, which extends from Hanau in the east to Wiesbaden and Mainz in the west, is home to more than 2 million people. It is worth pointing out that during the day the extremely large number of commuters pushes the city's population up to over a million.

The Stadtbahn and the tram are operated by the VGF (Verkehrsgesellschaft Frankfurt am Main) on behalf of the local transport authority 'traffiQ'. All public transport is integrated into the RMV fare system (Rhein-Main-Verke-hrsverbund): A day ticket for Frankfurt is available for just €5.35, but for trips to Bad Homburg, Oberursel Ho-hemark and the airport, a fare zone 4 ticket is required (€9.55).

The Frankfurt Stadtbahn network currently comprises nine lines (U1-U9) which operate through the city centre on three trunk routes (A, B, C). Even though the term 'U-Bahn' has officially been used in Frankfurt since the beginning, the system is actually a typical 'Stadtbahn' like those in Hanover, Dortmund and Stuttgart. The three underground routes through the city centre were built to full metro standard though, and the 75 m long (on line U4 mostly even 100 m) and 2.65 m wide trains that run through them at short intervals give the impression of a real 'U-Bahn'. On the outer sections, however, all the lines operate on the surface along typical Stadtbahn routes. While the northern branches of route A to Bad Homburg and Oberursel Hohemark are the successors of

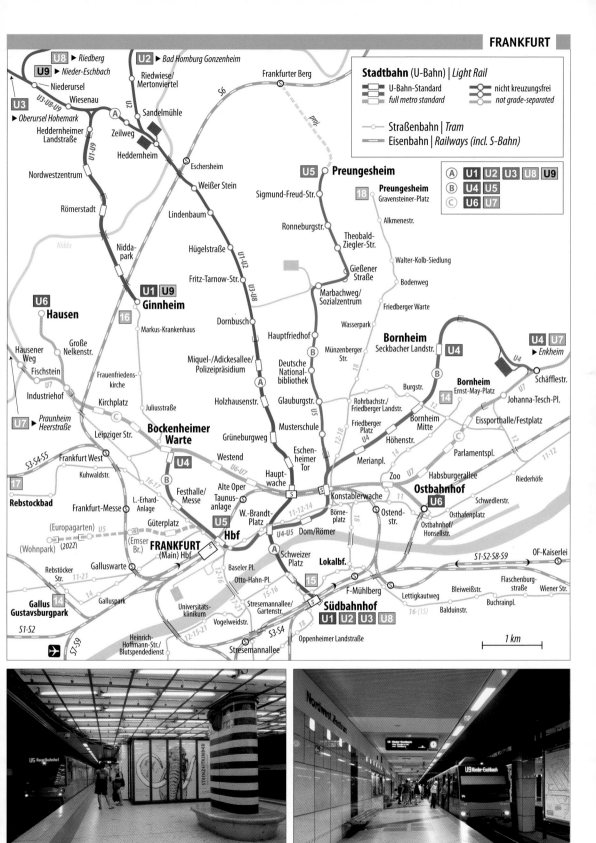

Dom/Römer

Nordwestzentrum – "U4" #505

Südbahnhof – "U5-50" #822

Schweizer Platz

zurückgehen, wurden die übrigen Anschlussstrecken vom städtischen Straßenbahnnetz übernommen. Bis auf ein kurzes Stück auf der Linie U5 (Rampe Konstablerwache bis Deutsche Nationalbibliothek) steht überall ein eigener Bahnkörper zur Verfügung, die Trassen werden allerdings an zahlreichen Stellen von teilweise stark befahrenen Straßen gekreuzt.

Neben der Stadtbahn verfügt Frankfurt noch über ein Straßenbahnnetz mit einer Gesamtnetzlänge von 68 km, das zwar im Zuge des Stadtbahnbaus stark geschrumpft ist, dessen Ausbau in den letzten Jahren jedoch wieder in den Vordergrund gerückt ist. Stadtbahn und Straßenbahn sind im Regelbetrieb voneinander getrennt, aber gleistechnisch miteinander verbunden.

Im Juli 1961 fiel die Entscheidung für den Bau einer U-Bahn mit Tunnelstrecken in der Innenstadt und kreuzungsfreien oberirdischen Abschnitten in den Außenbereichen. Zwei Jahre später begannen die Bauarbeiten an der ersten Tunnelstrecke, die 1968 in Betrieb genommen werden konnte. Seither konnte der Bau von drei Stammstrecken durch die Innenstadt (sowie einer unterirdischen S-Bahn-Strecke) weitgehend abgeschlossen werden. Zu den aufwändigsten Bauwerken zählen die unterirdischen Umsteigeknoten zwischen S-Bahn und Stadtbahn am Hauptbahnhof (4 Gleise S-Bahn + 4 Gleise Stadtbahn) sowie an der Hauptwache und Konstablerwache (je 4 Gleise Stadtbahn und 2 Gleise S-Bahn, wobei an der Konstablerwache das Umsteigen von S-Bahn zur C-Strecke und umgekehrt am selben Bahnsteig möglich ist). Zwischen Hauptwache und Konstablerwache fahren die S-Bahn (innen) und die Stadtbahn (außen) durch einen gemeinsamen

former interurban railways, other surface routes were taken over from the urban tramway system. Only a short section on line U5 (from the ramp near Konstablerwache to Deutsche Nationalbibliothek) is not segregated from motorised traffic. The other surface routes have their own right-of-way, though with numerous level crossings, some at very busy road junctions.

Besides the Stadtbahn, Frankfurt has maintained a tram network with a total length of 68 km. Many routes were closed when the Stadtbahn was built, but in recent years its expansion has once again become an important issue. The Stadtbahn and tram are not interlaced in everyday service, but there are track links.

In July 1961, the decision was taken to build a full-scale U-Bahn system with tunnel sections in the city centre and totally grade-separated routes in the outskirts, and construction began two years later. Since the first section opened in 1968, three trunk routes through the city centre (plus an S-Bahn tunnel) have been completed. Among the most complex works were the interchange stations between S-Bahn and Stadtbahn at Hauptbahnhof (4 tracks for the S-Bahn, and 4 tracks for the Stadtbahn), Hauptwache and Konstablerwache (each with 2 tracks for the S-Bahn and 4 tracks for the Stadtbahn); at the latter, cross-platform interchange between the two systems is provided. Between Hauptwache and Konstablerwache the S-Bahn (inner tracks) and the Stadtbahn (outer tracks) operate through a shared 4-track tunnel below the Zeil, Frankfurt's main shopping street.

A fourth trunk route (D) was once planned to link the areas of Schwanheim and Niederrad on the south bank of

Hauptwache – "U5-25" #670

Grüneburgweg – "U5-50" #812

Konstablerwache – "U5-50" #900

viergleisigen Tunnel unter der Zeil, Frankfurts wichtigster Einkaufsstraße.

Als vierte Stammstrecke sollte noch die D-Strecke gebaut werden, welche die Stadtteile Schwanheim und Niederrad am Südufer des Mains über Hauptbahnhof, Bockenheimer Warte und Ginnheim mit der Nordweststadt verbinden sollte. Der Abschnitt Hauptbahnhof – Bockenheimer Warte wurde inzwischen Teil der B-Strecke, eine baureife Verlängerung von Bockenheimer Warte bis Ginnheim wurde 2006 gestoppt (derzeit werden verschiedene, teils oberirdische Lösungen untersucht). Allerdings wurde 2010

the River Main with the Nordweststadt via Hauptbahnhof, Bockenheimer Warte and Ginnheim; the Hauptbahnhof – Bockenheimer Warte section is now part of route B, but the extension further on to Ginnheim, though ready to be built, was shelved in 2006 (various alternatives, some partially on the surface, are currently being examined). However, in 2010 a surface route via Riedberg opened as a branch off route A (lines U8/U9).

Between 2013 and 2016, the surface route of line U5 was upgraded with high-level platforms, and trains with folding steps are now no longer necessary in Frankfurt

Stadtbahn

67 km (~ 20.5 km Ⓤ), 88 Haltestellen | stops (31 Ⓤ)

04-10-1968 Ⓐ Hauptwache – Miquel-/Adickesallee ◢ Dornbusch – Heddernheim ◣ Nordwestzentrum
04-11-1973 Ⓐ Hauptwache – Willy-Brandt-Platz
26-05-1974 Ⓑ [Gießener Straße –] Musterschule ◣ Konstablerwache – Willy-Brandt-Platz
29-09-1974 Ⓐ Nordwestzentrum – Römerstadt
27-05-1978 Ⓐ Römerstadt – Ginnheim
28-05-1978 Ⓑ Willy-Brandt-Platz – Hauptbahnhof
31-05-1980 Ⓑ Konstablerwache – Seckbacher Landstraße
29-09-1984 Ⓐ Willy-Brandt-Platz – Südbahnhof
11-10-1986 Ⓒ [Hausen/Heerstr. –] Industriehof ◣ Kirchplatz – Zoo
23-04-1989 Ⓐ + Niddapark
30-05-1992 Ⓒ Zoo – Eissporthalle ◢ Johanna-Tesch-Pl. [– Enkheim]
29-05-1999 Ⓒ Zoo – Ostbahnhof
10-02-2001 Ⓑ Hauptbahnhof – Bockenheimer Warte
15-06-2008 Ⓑ Seckbacher Landstraße – Schäfflestraße via Depot
12-12-2010 Ⓐ Niederursel – Riedberg – Kalbach
~2022 Ⓑ Hauptbahnhof – Wohnpark

Musterschule > Glauburgstraße – "U5-50" #916

Marbachweg/Sozialzentrum – "U5-50" #910

Höhenstraße

eine oberirdische Strecke über den Riedberg als Ast der A-Strecke (U8, U9) in Betrieb genommen.

2013-2016 wurde auch der oberirdische Abschnitt der U5 mit Hochbahnsteigen ausgebaut, so dass heute in Frankfurt keine Klapptrittstufen mehr nötig sind (lediglich Niddapark und Römerstadt haben noch 56 cm hohe Bahnsteige statt der heutigen Standardhöhe von 80 cm). Seit 2016 ist ein Westast für die U5 im Bau, um Neubaugebiete auf dem Gelände des ehemaligen Güterbahnhofs (sog. Europaviertel) anzuschließen. Eine oberirdische Verlängerung der U5 von Preungesheim bis Frankfurter Berg ist seit Langem vorgesehen, ebenfalls eine kurze Verlängerung der U2 in Bad Homburg.

Auf der **A-Strecke** verkehren die Linien U1 und U2 tagsüber im 10-Minuten-Takt, in der Hauptverkehrszeit alle 7-8 Minuten. Tagsüber endet etwa jeder zweite Zug der U2 in Nieder-Eschbach. Die U3 und U8 fahren jeweils im 15-Minuten-Takt, so dass auf dem gemeinsamen Abschnitt der A-Strecke tagsüber alle 3-5 Minuten ein Zug in jede Richtung verkehrt. Dazu kommt im 15-Minuten-Takt, meist mit Einzelwagen, die Tangentiallinie U9.

Auf der **B-Strecke** fahren U4 und U5 in der HVZ alle 5, sonst tagsüber alle 7-8 Minuten, so dass zwischen Hauptbahnhof und Konstablerwache alle 2½ bis 4 Minuten eine Bahn verkehrt. Die U4 fährt alle 15 Minuten über die Zufahrtsgleise zum Betriebshof Ost weiter bis Enkheim.

Auf der **C-Strecke** besteht tagsüber auf beiden Linien (U6/U7) ein 10-Minuten-Takt, der in der HVZ auf einen 7/8-Minuten-Takt verdichtet wird, so dass zwischen Industriehof und Zoo alle 4-5 Minuten ein Zug verkehrt.

Nachdem in den vergangenen Jahren der Wagenpark großzügig erneuert wurde, sind derzeit auf dem Frankfurter Stadtbahnnetz nur noch zwei verschiedene Wagentypen, nämlich der Typ „U4" (nur auf der A-Strecke) sowie der Typ „U5" (Flexity Swift) im Einsatz, wobei bei letzterem rund zwei Drittel als durchgehend begehbare 50-m-Einheiten und der Rest als 25-m-Wagen geliefert wurden, die zu 75 m oder 100 m langen Zügen gekuppelt werden können. Die Frankfurter Stadtbahn fährt mit 600 V Gleichstrom, der über eine Oberleitung zugeführt wird.

(only Niddapark and Römerstadt still have 56 cm high platforms instead of the now standard 80 cm). Since 2016, a western branch for line U5 has been under construction to serve an area being redeveloped on the grounds of a former freight yard, known as the Europaviertel. A surface U5 extension from Preungesheim to Frankfurter Berg has long been planned, as well as a short U2 extension in Bad Homburg.

*On **route A**, lines U1 and U2 run every 10 minutes during normal daytime hours, and every 7-8 minutes during peak hours. About every other train on line U2 terminates at Nieder-Eschbach. Lines U3 and U8 each operate every 15 minutes. On the shared section of route A there is thus a train every 3-5 minutes in each direction. The tangential line U9 also operates every 15 minutes, mostly using just a single unit.*

*On **route B**, lines U4 and U5 run every 5 minutes during peak hours, and every 7-8 minutes at other times. This results in a train every 2½-4 minutes between Hauptbahnhof and Konstablerwache. Line U4 continues to Enkheim every 15 minutes, taking advantage of depot access tracks.*

*On **route C**, lines U6 and U7 run every 7-8 minutes during peak hours, and every 10 minutes at other times. The shared section between Industriehof and Zoo is thus served every 4-5 minutes.*

After a thorough fleet renewal in recent years, the Frankfurt Stadtbahn is now operated with just two different types of trains: class 'U4' (only route A) and class 'U5' (Flexity Swift), of which around two thirds were delivered as 50 m walkthrough units, with the rest being 25 m long; they can be coupled to form 75 or 100 m long trains. The Frankfurt Stadtbahn is operated with 600 V dc taken from an overhead wire.

U Fahrzeuge | Rolling Stock

Nummer *Number*	Anzahl *Quantity*	Hersteller *Manufacturer*	Typ *Class*	Länge *Length*	Breite *Width*	Ausgeliefert *Delivered*
501-516, 518-531, 533-539	37	Duewag	U4	25.8 m	2.65 m	1994-1997
603-696	94	Bombardier	U5-25 *Flexity Swift*	25.8 m	2.65 m	2014-2017
801-930	130	Bombardier	U5-50 *Flexity Swift*	50.3 m	2.65 m	2011-2017
bestellt | *ordered* 09/2018	22	Bombardier	Mittelwagen* | *centre modules**	25 m	2.65 m	*2020-2021*

* für U5-50 | *for U5-50*

Zoo – "U5-25" #652

Bockenheimer Warte – "U5-25" #664

U4 HafenCity Universität – DT4 #147

HAMBURG

Mit 1,85 Mio. Menschen ist Hamburg nach Berlin die zweitgrößte Stadt Deutschlands und trotz einer Entfernung von ca. 100 km von der Nordsee einer der wichtigsten Seehäfen Europas. Mit den direkt angrenzenden Landkreisen in Schleswig-Holstein und Niedersachsen steigt die Zahl der Bevölkerung auf etwa 3,5 Mio. Das heutige Stadtgebiet entstand 1937, als Hamburg einige seiner Exklaven wie Großhansdorf verlor und im Gegenzug dicht besiedelte Städte wie Altona, Harburg oder Wandsbek gewann.

Das Hamburger U-Bahn-Netz besteht derzeit aus vier Linien mit einer Gesamtlänge von rund 106 km, wobei die U4 lediglich einen Abzweig der U2 darstellt. 12,4 km liegen außerhalb Hamburgs im benachbarten Bundesland Schleswig-Holstein. Die U-Bahn wird von der *Hamburger Hochbahn AG* (kurz HOCHBAHN) betrieben. Seit 1967 verkehrt sie als Partner des *Hamburger Verkehrsverbunds* (HVV) im gemeinsamen Tarif mit der S-Bahn, den Regionalbahnen (inkl. AKN) sowie den Elbfähren und Bussen. Der HVV umfasst die angrenzenden Landkreise in Schleswig-Holstein und Niedersachsen. Eine Tageskarte für die Zone Hamburg AB (gesamtes U-Bahn-Netz) kostet 7,80 € (bzw. 6,50 € ab 9 Uhr).

Die Firmen *Siemens & Halske* und AEG erhielten 1905, also drei Jahre nach Eröffnung der ersten Strecke in Berlin, den Auftrag, ein 28 km langes U-Bahn-Netz, das ganz auf Hamburger Gebiet verlaufen sollte, zu errichten. Dieses Netz bestand aus der 17,5 km langen **Ringlinie** mit drei Außenästen: 1,8 km nach Eimsbüttel, 3,2 km nach Rothenburgsort und 5,4 km nach Ohlsdorf. Nachdem die Bauar-

With a population of 1.85 million, Hamburg is Germany's second largest city after Berlin, and despite being located about 100 km from the North Sea, one of Europe's busiest seaports. Including the neighbouring counties in the states of Schleswig-Holstein and Lower Saxony, the overall population of the metropolitan area is approximately 3.5 million. The present city territory is the result of a 1937 deal which saw Hamburg lose some of its former exclaves like Großhansdorf, while gaining densely populated towns like Altona, Harburg and Wandsbek.

Hamburg's U-Bahn network currently consists of four lines with a total length of around 106 km, though line U4 is actually a branch off line U2. 12.4 km lies outside Hamburg in the neighbouring state of Schleswig-Holstein. The U-Bahn is operated by the 'Hamburger Hochbahn AG', which has been integrated into the HVV fare system (Hamburger Verkehrsverbund) since 1967. The HVV also covers the S-Bahn, AKN trains, other regional trains, Elbe ferries and buses, and extends into the neighbouring counties in Lower Saxony and Schleswig-Holstein. For zone 'Hamburg AB' (covering the entire U-Bahn network), a day ticket costs €7.80 (€6.50 from 09:00).

In 1905, i.e. three years after the first line had opened in Berlin, the companies Siemens & Halske and AEG were given permission to build a 28 km network which was to run exclusively on Hamburg city territory. This network would consist of a 17.5 km *circle line* plus three branches: 1.8 km to Eimsbüttel, 3.2 km to Rothenburgsort and 5.4 km to Ohlsdorf. Construction

U3 Landungsbrücken > Baumwall – DT5 #347

beiten 1906 begonnen hatten, konnte der Betrieb nach 5½ Jahren aufgenommen werden. Die Hamburger Hochbahn wird seither über eine von unten bestrichene Stromschiene mit 750 V Gleichstrom versorgt. Die Wagenbreite wurde auf 2,50 m festgelegt, die Bahnsteige waren anfangs auf 60 m beschränkt, sie wurden jedoch bereits in den 1920er Jahren auf 90 m verlängert.

Die Ringstrecke besteht je nach Gelände aus Tunnel-, Damm- und Viaduktstrecken, wodurch bis auf die Rampe am Rathaus eine fast steigungsfreie Trassierung erreicht werden konnte. Nur in der Innenstadt und in St. Pauli wurde sie aus städtebaulichen Gründen unterirdisch angelegt. Alle Tunnelstrecken wurden in offener Bauweise meist in einfacher Tiefenlage gebaut. Der Abschnitt zwischen Rathaus und Hauptbahnhof wurde zusammen mit dem Durchbruch der heutigen Mönckebergstraße erstellt, der Tunnel unter den Gleisen des Hauptbahnhofs war bereits mit dessen Neubau 1906 fertiggestellt worden. Die gesamte Ringstrecke wird seit 2009 von der Linie U3 befahren, jedoch nicht als echte Ringlinie. Der Ast nach Ohlsdorf ging in der Linie U1 auf, während der Ast nach Eimsbüttel heute Teil der U2 ist.

Der dritte Ast, die Zweiglinie nach Rothenburgsort, begann unterirdisch am Hauptbahnhof und führte dann als Hochbahn entlang des Nagelswegs, westlich der heutigen S3-Strecke, durch Hammerbrook nach Rothenburgsort. Es gab Zwischenhaltestellen an der Spaldingstraße, Süderstraße und Billstraße (später Brückenstraße). Nachdem der Stadtteil Hammerbrook im 2. Weltkrieg fast komplett zerstört worden war, beschloss man, die Hochbahnstrecke nicht wieder aufzubauen.

Die ca. 28 km lange **Walddörferbahn** entstand aus der Tatsache, dass Hamburg bis 1937 einige Exklaven im

started in 1906 and operation began 5½ years later. The Hamburg U-Bahn, generally referred to as the 'Hochbahn' [elevated railway], has since collected power (750 V dc) from the lower side of a third rail. The trains are 2.50 m wide, while the platforms were initially only 60 m long, but were extended to 90 m in the 1920s.

The circle line runs partly in tunnels, partly on embankments and partly on viaducts, resulting in a route without any steep gradients, except for the ramp at Rathaus. The city centre and St. Pauli sections were put underground to avoid the need for viaducts. All the other tunnel sections were built by cut-and-cover, mostly just below street level. The tunnel between Rathaus and Hauptbahnhof was built together with the new Mönckebergstraße, and the tunnel under the mainline tracks had been completed by 1906, when the new central station opened. Since 2009, the entire circle route has been served by line U3, though not as a real circle line, while the Ohlsdorf branch is now part of line U1 and the Eimsbüttel branch part of line U2.

The Rothenburgsort branch started from the underground Hauptbahnhof station running to the west of the present S3 route on an elevated structure along Nagelsweg to Rothenburgsort via Hammerbrook. There used to be intermediate stations at Spaldingstraße, Süderstraße and Billstraße (later Brückenstraße), but as the Hammerbrook neighbourhood was totally destroyed during World War II, the elevated branch line was not rebuilt.

The 28 km 'Walddörferbahn' was built to serve some of Hamburg's former exclaves in the Prussian province of Holstein, namely the villages of Farmsen, Volksdorf, Wohldorf (Ohlstedt) and Großhansdorf. The 'Walddörfer-

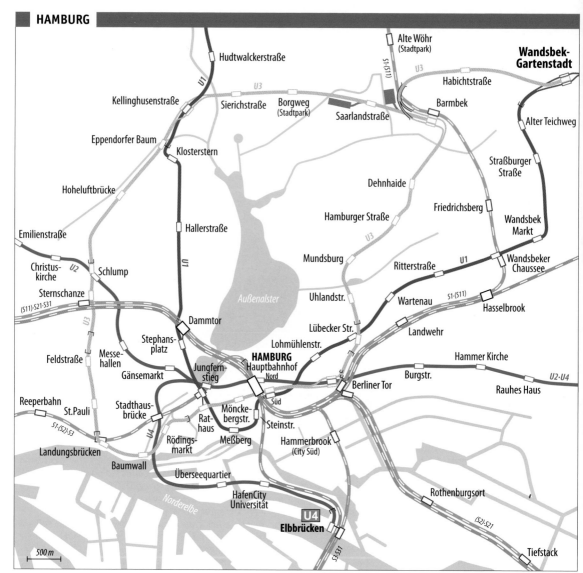

preußischen Holstein hatte, nämlich die Walddörfer Farmsen, Volksdorf, Wohldorf (Ohlstedt) und Großhansdorf. Die Walddörferbahn, die in Barmbek an die bestehende Ringstrecke angebunden wurde, verläuft meist auf einem Damm oder im Einschnitt. Bis Kriegsanfang 1914 war die zweigleisige Strecke weitgehend fertig. Wegen Materialmangels konnte erst 1918-1919 ein provisorischer Betrieb mit Dampflokomotiven aufgenommen werden. Das zweite Gleis des Großhansdorfer Astes wurde wieder abgebaut und als Stromschiene verwendet, so dass ab 1920 bis Volksdorf elektrisch gefahren werden konnte. Nach und nach wurden alle Strecken auf beiden Gleisen elektrifiziert, der Großhansdorfer Ast blieb jedoch bis heute eingleisig.

Die 7,7 km lange **Langenhorner Bahn** von Ohlsdorf nach Ochsenzoll stellte anfangs eine eigenständige Bahnstrecke dar, sie wurde aber bald gemeinsam mit der Hochbahn betrieben. Die Bauarbeiten hatten bereits 1913 begonnen, sie kamen aber durch den 1. Weltkrieg ins Stocken. Die Langenhorner Bahn verläuft abwechselnd auf einem Damm und im Einschnitt. Der provisorische Betrieb mit Dampfzügen begann 1918.

bahn' was linked to the circle line at Barmbek, and runs mostly on an embankment or in a cutting. The double-track line had largely been completed when World War I began in 1914. Due to a lack of material, however, temporary service with steam-hauled trains did not start until 1918-1919. The second track on the Großhansdorf branch was dismantled and used as a power rail instead. In this way, electric service to Volksdorf was able to start in 1920. Gradually, all the sections were electrified, but the Großhansdorf branch has remained single-track ever since.

The 7.7 km '**Langenhorner Bahn**' from Ohlsdorf to Ochsenzoll was initially a separate railway, but was soon jointly operated with the 'Hochbahn'. Its construction had begun in 1913, but was suspended due to World War I. The 'Langenhorner Bahn' runs partly on an embankment and partly in a cutting. Temporary steam operation started in 1918.

After the opening of the so-called '**Kelljung line**' (see U1) in 1931 (total network length 64 km), which allowed trains from the north to reach the city centre without a

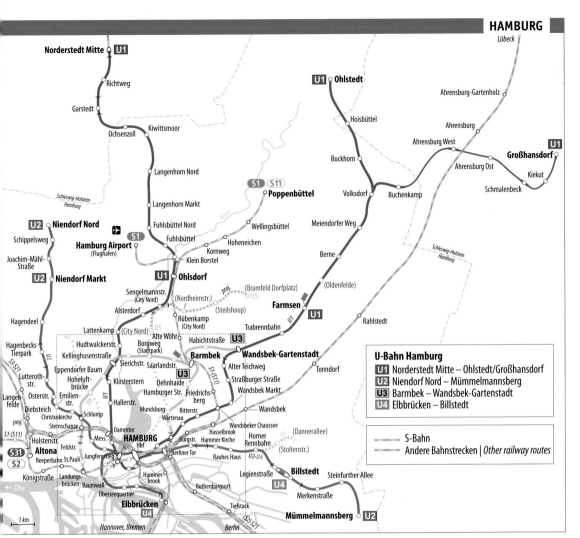

U-Bahn Hamburg

U1	Norderstedt Mitte – Ohlstedt/Großhansdorf
U2	Niendorf Nord – Mümmelmannsberg
U3	Barmbek – Wandsbek-Gartenstadt
U4	Elbbrücken – Billstedt

——— S-Bahn

——— Andere Bahnstrecken | *Other railway routes*

Nach Eröffnung der sog. **Kelljung-Strecke** (siehe U1) im Jahr 1931 (Netzlänge 64 km), die eine direkte Führung der Züge aus dem Norden ins Stadtzentrum ermöglichte, kam der U-Bahn-Bau bis in die späten 1950er Jahre zum Erliegen. Der kontinuierliche Netzausbau ab 1960, der Hamburg vor allem die neue Ost-West-Linie U2 bescherte, erreichte im Jahr 1996, als die U1 nach Norderstedt Mitte in Betrieb genommen wurde, seinen vorläufigen Abschluss, bevor Ende 2012 die neue U4 in die HafenCity eröffnet wurde.

Ein jahrzehntelang geplanter Anschluss der (damaligen) Neubaugebiete Lurup/Osdorfer Born im Westen und Steilshoop/Bramfeld im Norden sowie der City Nord soll mittelfristig durch eine komplett neue **Linie U5** verwirklicht werden. In einer ersten Phase soll bis ca. 2027 der Ostabschnitt von Bramfeld über Steilshoop bis zur City Nord entstehen, die Haltestelle Sengelmannstraße ist dafür seit 1975 mit zwei Mittelbahnsteigen vorbereitet. Ab City Nord wird die U5 über Borgweg zum Hauptbahnhof führen und von dort direkt zum Stephansplatz und weiter Richtung Nordwesten nach Lokstedt. Ob sie dann den Bahnhof Hagenbecks Tierpark über einen Umweg via Siemersplatz oder auf direktem Weg erreicht und ob der Westen nicht doch lieber per S-Bahn ab Diebsteich angeschlossen werden soll, ist noch nicht entschieden.

detour, U-Bahn construction came to a halt until the late 1950s. From 1960 the network was steadily expanded, most notably with the new cross-city line U2, but this process stopped once the U1 extension to Norderstedt Mitte had been completed in 1996. Eventually, in late 2012, the new U4 to HafenCity was inaugurated.

An urban rail connection to serve (once) new neighbourhoods at Lurup and Osdorfer Born in the west and Steilshoop, Bramfeld and the City Nord area in the north has been planned for many decades, and may finally materialise in the form of the new **line U5**. In the first stage, the eastern section from Bramfeld via Steilshoop to the City Nord will be built by approx. 2027. An interchange station at Sengelmannstraße featuring two island platforms has been ready for this since 1975! From City Nord, line U5 will run via Borgweg to Hauptbahnhof and from there directly to Stephansplatz, and on towards the northwest to Lokstedt. No decision has yet been taken whether line U5 should then also serve Siemersplatz or continue directly to Hagenbecks Tierpark, neither is it clear yet whether the western districts should rather be connected by S-Bahn, with a new branch diverging at Diebsteich.

U3 Sternschanze – DT3 #828

U2 Jungfernstieg – DT4 #154

Ⓤ-Bahn-Fahrzeuge

Der aktuelle Wagenpark der Hamburger U-Bahn besteht aus drei verschiedenen Typen: DT3, DT4 und DT5. Der dreiteilige **DT3**-Zug glich bis auf den zusätzlichen Mittelwagen dem Vorgängermodell DT2. Ein Langzug besteht aus drei Einheiten, d.h. 9 Wagen. Ab 1995 wurde ein Teil dieser Serie umfassend ertüchtigt (DT3E) und mit einer neuen Front versehen, die dem neuen DT4 nachempfunden war, während andere DT3-Einheiten ausgemustert wurden.

Mitte der 1980er Jahre entstand der **DT4**; dieser besteht aus vier nicht trennbaren Wagen, die jedoch nicht durchgehend begehbar sind. Eine 4-Wagen-Einheit ist somit rund 60 m lang, so dass ein Langzug aus zwei gekuppelten Einheiten besteht. Der DT4 wurde über einen Zeitraum von 17 Jahren in sechs Serien ausgeliefert, die sich bei der Gestaltung des Innenraums voneinander unterschieden, auch wenn mittlerweile ältere Serien modernisiert worden sind.

Für den Einsatz vor allem auf der U3, wo die Bahnsteige nur 90 m lang sind, wurden ab 2010 die ersten Fahrzeuge vom wieder dreiteiligen und nun auch durchgehend begehbaren Typ **DT5** ausgeliefert. Mittlerweile sind auch davon bereits sechs Serien im Einsatz, auf der U1 und U2 auch als Langzüge aus drei Einheiten.

Zur Wartung der Züge stehen die Hauptwerkstatt Barmbek sowie die Betriebswerkstatt Farmsen und seit 2019 auch die Betriebswerkstatt Billstedt an der Haltestelle Legienstraße zur Verfügung. Größere Abstellanlagen findet man in Ochsenzoll, nördlich der Haltestelle Hagenbecks Tierpark sowie westlich des Bahnhofs Saarlandstraße.

Bei einer Fußbodenhöhe von 1030-1060 mm über Schienenoberkante kommt es in Hamburg beim Einsteigen auf älteren Bahnsteigen zu einer erheblichen Stufe, weshalb nach und nach zahlreiche Bahnsteige teilerhöht (und schachbrettartig markiert) wurden, während neuere bzw. generalsanierte Stationen einen ebenen Einstieg auf voller Bahnsteiglänge ermöglichen. Rund 75% aller U-Bahn-Haltestellen sind heute auch über Aufzüge zugänglich.

Ⓤ-*Bahn Rolling Stock*

*Hamburg's U-Bahn fleet presently consists of three types of rolling stock: DT3, DT4 and DT5. The 3-car **DT3** looks similar to the previous type DT2, but has an additional intermediate car. A full-length train consists of three units, i.e. nine cars. Starting in 1995, some of these cars were refurbished (DT3E) and now boast a new front, similar to that of the DT4.*

*Designed in the mid-1980s, the **DT4** is a permanently coupled 4-car 60 m unit, though not yet of the walkthrough type. A full-length train is made up of two units. Over a period of 17 years, the DT4 was delivered in six batches, all with slightly different interior designs, which in the case of the older batches have already been modernised.*

*For service mainly on line U3, where some platforms are only 90 m long, the first 3-car trains of class **DT5** were delivered in 2010. These now feature gangways between cars. By 2018, six batches had been delivered, and they are now also in service on lines U1 and U2 operating as 9-car trains.*

Besides the main workshops at Barmbek, maintenance work is also carried out at Farmsen, and since early 2019, at Billstedt (Legienstraße). Larger stabling facilities are available at Ochsenzoll, to the north of Hagenbecks Tierpark as well as to the west of Saarlandstraße station.

With a floor height of 1030-1060 mm above the top of the rail, a considerable step is required to board a train from one of Hamburg's older platforms; therefore, in many of the older stations, part of the platform (marked by a chequered area) has therefore been raised to allow level boarding, while the newer and rebuilt stations provide stepfree boarding along the full length of the platform. Some 75% of all U-Bahn stations have been retrofitted with lifts.

Fahrzeuge | *Rolling Stock*

Nummer *Number*	Anzahl *Quantity*	Hersteller *Manufacturer*	Typ *Class*	Länge *Length*	Breite *Width*	Ausgeliefert *Delivered*
803...910	41	LHB/BBC/Kiepe	DT3 (3-Wagen-Einheiten | *3-car units*)	39.1 m	2.48 m	1968-1971
101-226	126	ABB/LHB	DT4 (4-Wagen-Einheiten | *4-car units*)	60.1 m	2.58 m	1988-2005
301-397 (-431)	97/131	Alstom LHB/Bombardier	DT5 (3-Wagen-Einheiten | *3-car units*)	39.6 m	2.58 m	2010-2020

U3 Baumwall – DT5 #337

Hamburg - U-Bahn

106 km (~ 46.5 km Ⓤ), 100 Bahnhöfe | *stations* (50 Ⓤ)
4 Linien | *lines*

15-02-1912 ■ Barmbek – Rathaus via Berliner Tor	22-02-1960 □ Jungfernstieg – Meßberg
10-05-1912 ■ Barmbek – Kellinghusenstraße	10-05-1960 □ + Kiwittsmoor
25-05-1912 ■ Kellinghusenstraße – St. Pauli	02-10-1960 □ Meßberg – Hauptbahnhof
29-06-1912 ■ St. Pauli – Rathaus	02-07-1961 □ Hauptbahnhof – Lübecker Straße
01-06-1913 □ Schlump – Christuskirche	via Lohmühlenstraße
21-10-1913 □ Christuskirche – Emilienstraße	01-10-1961 □ Lübecker Straße – Wartenau
23-05-1914 □ Emilienstraße – Hellkamp	28-10-1962 □ Wartenau – Wandsbek Markt
01-12-1914 □ Kellinghusenstraße – Ohlsdorf	03-03-1963 □ Wandsbek Markt – Straßburger Straße
27-07-1915 Hauptbahnhof – Rothenburgsort	04-08-1963 □ Straßburger Straße – Wandsbek-Gartenstadt
05-01-1918 □ Ohlsdorf – Ochsenzoll (prov.)	01-05-1964 [X] Schlump – Hellkamp
12-09-1918 ■□ Barmbek – Volksdorf – Großhansdorf /	30-05-1965 □ Schlump – Lutterothstraße
Ohlstedt (prov.)	30-10-1966 □ Lutterothstraße – Hagenbecks Tierpark
01-01-1919 □ + Langenhorn Nord	02-01-1967 □ Berliner Tor – Horner Rennbahn
22-05-1919 [X] Barmbek – Volksdorf – Großhansdorf /	24-09-1967 □ Horner Rennbahn – Legienstraße
Ohlstedt	29-09-1968 □ Berliner Tor – Hauptbahnhof Nord
06-09-1920 ■□ Barmbek – Volksdorf (el.)	01-06-1969 □ Ochsenzoll – Garstedt
01-07-1921 □ Ohlsdorf – Ochsenzoll (el.) + Fuhlsbüttel Nord	28-09-1969 □ Legienstraße – Billstedt
05-11-1921 □ Volksdorf – Großhansdorf (el.)	31-05-1970 □ Schlump – Gänsemarkt
17-06-1922 □ + Ahrensburg Ost & Kiekut	31-05-1970 □ Billstedt – Merkenstraße
01-02-1925 □ Volksdorf – Ohlstedt (el.)	03-06-1973 □ Hauptbahnhof Nord – Gänsemarkt
07-04-1925 □ + Meiendorfer Weg	26-09-1975 □ + Sengelmannstraße
25-05-1925 □ + Klein Borstel	02-06-1985 □ Hagenbecks Tierpark – Niendorf Markt
02-06-1929 □ Kellinghusenstraße – Stephansplatz	29-09-1990 □ Merkenstraße – Mümmelmannsberg
23-06-1930 ■ + Habichtstraße	09-03-1991 □ Niendorf Markt – Niendorf Nord
25-03-1931 □ Stephansplatz – Jungfernstieg (prov.)	28-09-1996 □ Garstedt – Norderstedt Mitte
28-04-1934 □ + Jungfernstieg	09-12-2012 □ Jungfernstieg – Überseequartier
28-07-1943 [X] Hauptbahnhof – Rothenburgsort	10-08-2013 □ Überseequartier – HafenCity Universität
	07-12-2018 □ HafenCity Universität – Elbbrücken
	~12-2019 □ + Oldenfelde

U1 Norderstedt Mitte – DT4 #120

U1 Norderstedt Mitte – Ohlstedt / Großhansdorf

Das älteste Teilstück der heutigen U1 ist der Abschnitt Kellinghusenstraße – Ohlsdorf, der als einer von drei Abzweigen von der ursprünglichen Ringlinie bereits seit 1914 in Betrieb ist. Vier Jahre später begann auch der Verkehr auf der sog. Walddörferbahn von Barmbek über Volksdorf nach Großhansdorf bzw. Ohlstedt.

1921 fuhren die Hochbahnzüge auf der Langenhorner Bahn von Ohlsdorf weiter nach Ochsenzoll. In den ersten Jahren erreichten die Züge aus dem Norden das Stadtzentrum nur auf einem Umweg über den Hafen. Deshalb begann man Mitte der 1920er Jahre, eine direkte unterirdische Verbindung von Kellinghusenstraße bis Jungfernstieg im Stadtzentrum zu bauen, die sog. Kelljung-Linie.

10 Jahre nach dem 2. Weltkrieg begann man schließlich, das Netz weiter auszubauen. Einerseits sollte die seit 1931 am Jungfernstieg endende Linie an den Hauptbahnhof angebunden werden, andererseits wollte man den dicht besiedelten Stadtbezirk Wandsbek an das Schnellbahnnetz anschließen. Aus diesen beiden Projekten entstand bis 1963 eine durchgehende Linie von Ochsenzoll bis weit hinaus nach Ohlstedt bzw. Großhansdorf.

1969 folgte noch die Verlängerung von Ochsenzoll über die Stadtgrenze hinweg bis Garstedt und schließlich 1996 bis Norderstedt Mitte, wobei die U1 in beiden Fällen die Trasse der Alsternordbahn (heute A2 der AKN) übernahm.

Mit den beiden Außenästen im Nordosten hat die U1 heute eine Gesamtlänge von 55,4 km. Die Strecke Norderstedt Mitte – Großhansdorf ist mit 50,9 km und 84 Minuten Fahrzeit die längste U-Bahn-Linie Deutschlands. Während der mittlere Stationsabstand im inneren Bereich

The oldest part of today's U1 is the Kellinghusenstraße – Ohlsdorf section, which opened in 1914 and was one of the three original branches of the circle line. Four years later, service began on the so-called 'Walddörferbahn' from Barmbek via Volksdorf to Großhansdorf and Ohlstedt.

In 1921, trains started operating from Ohlsdorf along the 'Langenhorner Bahn' to Ochsenzoll. In those years, however, they had to take a long detour via the harbour to reach the city centre. For this reason, the construction of a direct link began in the mid-1920s, the so-called 'Kelljung line', which runs from Kellinghusenstraße to Jungfernstieg in the heart of the city.

Ten years after World War II the expansion of the network was resumed. The line that had terminated at Jungfernstieg since 1931 was to be extended to the central station; at the same time, the densely populated district of Wandsbek was to be linked by the U-Bahn. In 1963, these projects were combined, resulting in a long line from Ochsenzoll to Ohlstedt and Großhansdorf.

In 1969, line U1 was extended from Ochsenzoll across the city border to Garstedt, and eventually, in 1996, further on to Norderstedt Mitte. In both cases, the U-Bahn replaced the Alsternordbahn (now AKN line A2), which was cut back accordingly.

U1 55.4 km (13.4 km Ⓤ)
46 Bahnhöfe | *stations* (16 Ⓤ)
+ 1 im Bau | *under construction*

U1 Wartenau

zwischen Ohlsdorf und Wandsbek-Gartenstadt 883 m beträgt, was einer typischen U-Bahn entspricht, liegen die Stationen auf dem östlichen Teil, der Walddörferbahn, mit durchschnittlich 1784 m wesentlich weiter auseinander. Dieser Wert verringert sich gegen Ende 2019, wenn zwischen Farmsen und Berne die neue Station Oldenfelde eröffnet wird.

Zwischen Ohlsdorf und Farmsen verkehrt die U1 tagsüber im 5-Minuten-Takt, weiter nach Norderstedt Mitte bzw. Volksdorf besteht mindestens ein 10-Minuten-Takt. Auf den Außenästen nach Ohlstedt und Großhansdorf (ab Buchenkamp eingleisig) wird im Normalverkehr ein 20-Minuten-Takt angeboten. In den Hauptverkehrszeiten wird der Takt auch auf den Außenästen verdichtet. Auf der Linie U1 konnten im Laufe der Jahrzehnte alle Bahnsteige auf mindestens 120 m verlängert werden.

The present U1 has a total length of 55.4 km and 46 stations. The route from Norderstedt Mitte to Großhansdorf is 50.9 km long and thus Germany's longest metro line; the journey takes 84 minutes. Whereas the average station distance in the inner area between Wandsbek-Gartenstadt and Ohlsdorf is 883 m, comparable to other metros, the stations along the eastern leg, the 'Walddörferbahn', are on average 1784 m apart; this will decrease towards the end of 2019 when a new station called Oldenfelde is opened between Farmsen and Berne.

During normal daytime service, line U1 operates every five minutes between Ohlsdorf and Farmsen. The sections to Norderstedt Mitte and Volksdorf are served at least every 10 minutes, whereas the outer branches to Ohlstedt and Großhansdorf (single-track from Buchenkamp) only have trains every 20 minutes. During peak hours, additional trains also serve the outer stretches. On line U1, all platforms have been extended to 120 m.

U1 Hallerstraße

U1 Fuhlsbüttel – DT4 #122

U1 Steinstraße – DT4 #192

U1 Lohmühlenstraße

U1 Volksdorf – DT4 #140

U1 Garstedt – DT4

U1 Wandsbeker Chaussee

U1 Ritterstraße – DT4

U1 Klosterstern

U2/U4 Hauptbahnhof Nord – DT5 #305

U2 Niendorf Nord – Mümmelmannsberg   U4 Elbbrücken – Billstedt

Nach Vollendung ihrer eigenen Innenstadtstrecke im Jahr 1973 verkehrte die U2 zwischen Hagenbecks Tierpark (später Niendorf Nord) und Wandsbek-Gartenstadt über den östlichen Abschnitt der alten Ringstrecke. Um auch auf dem Ast nach Mümmelmannsberg, der früher von der U3 befahren wurde, längere Züge einsetzen zu können, wurde der U-Bhf Berliner Tor zwischen 2005 und 2009 umgebaut, um einen Linientausch möglich zu machen. Seither verkehrt die U2 als Ost-West-Linie von Niendorf Nord bis Mümmelmannsberg, so wie sie eigentlich von Anfang an konzipiert war, während aus der U3 nun eine unechte Ringlinie wurde. Auf dem Abschnitt von Jungfernstieg bis Billstedt (8 km) wird die U2 seit 2012 alle 10 Minuten von der neuen Linie U4 verstärkt, für die allerdings auch im Osten mittelfristig ein eigener Ast errichtet werden soll. Die U2 verkehrt tagsüber zwischen Niendorf Markt und Billstedt stets im 5-Minuten-Takt, aber nach Mümmelmannsberg vormittags und nach Niendorf Nord ganztags nur alle 10 Minuten.

Den ältesten Teil der heutigen **U2** bildet die Eimsbütteler Zweiglinie der Ringlinie von 1913/14 mit den Stationen Christuskirche, Emilienstraße und Osterstraße. Die von Schlump abzweigende Linie endete bis 1964 im früheren Bahnhof Hellkamp. Im Zuge der Vorarbeiten für eine neue Linie Stellingen – Billstedt wurde die Eimsbütteler Strecke ab 1964 für ca. ein Jahr gesperrt. Dabei wurde die Station Hellkamp weiter westlich durch die Station Lutterothstraße ersetzt und eine oberirdische Verlängerung bis Hagenbecks Tierpark gebaut. Gleichzeitig begannen die Bauarbeiten im Schildvortrieb an einer tief angelegten, schnellen

After the city centre section had been completed in 1973, line U2 operated for many years between Hagenbecks Tierpark (later from Niendorf Nord) and Wandsbek-Gartenstadt via the eastern part of the old circle line. To enable the use of longer trains on the busy Mümmelmannsberg branch previously served by line U3, the underground station Berliner Tor was rebuilt between 2005 and 2009, when line U2 took over this branch and became a long east-west cross-city line, the way the line had actually been conceived in the very beginning. Line U3 was converted into a sort of circular line instead. Between Jungfernstieg and Billstedt (8 km), the U2 service has been complemented by the new line U4 since 2012, with trains every 10 minutes, but in the mid-term future, line U4 will have its own branch at the eastern end too. During daytime hours, line U2 operates every 5 minutes between Niendorf Markt and Billstedt, and every 10 minutes to Niendorf Nord; the service to Mümmelmannsberg is only reduced to a 10-minute headway during morning off-peak hours.

U2　24.5 km (21.1 km Ⓤ; ~8.4 km U2/U4)
25 Bahnhöfe | *stations* (22 Ⓤ)

U4　13.4 km (11.4 km Ⓤ; ~8.4 km U2/U4)
12 Bahnhöfe | *stations* (9 Ⓤ)

U2 Mümmelmannsberg – DT4 #115

Verbindung durch die Innenstadt zwischen Schlump und Berliner Tor, die in mehreren Etappen eröffnet wurde und anfangs von Pendelzügen (U21 Hauptbahnhof Nord – Barmbek und U22 Schlump – Gänsemarkt) bedient wurde, bis 1973 der durchgehende Betrieb aufgenommen werden konnte.

Die Strecke vom Berliner Tor nach Billstedt wurde in offener Bauweise errichtet und konnte deshalb bereits zwischen 1967 und 1970 in Betrieb gehen. Sie wurde allerdings entgegen der ursprünglichen Planungen schließlich an die U3 angeschlossen, so dass trotz der 120 m langen Bahnsteige auf diesem Ast bis 2009 nur 90 m lange Züge eingesetzt werden konnten. Dieser Ast wurde 1990 ins Neubaugebiet Mümmelmannsberg verlängert.

1979 begann der Weiterbau der U2 von Hagenbecks Tierpark nach Niendorf durch relativ dünn besiedelte Gebiete. 1991 erreichte die U2 ihren heutigen nordwestlichen Endpunkt in Niendorf Nord.

Das im Jahr 2002 vorgestellte U-Bahn-Ausbauprojekt enthielt eine neue Linie **U4** zum Anschluss der HafenCity, eines neu errichteten, doch längst nicht vollendeten Stadtteils im ehemaligen Hafengebiet. Die U4 sollte zwischen Rathaus und Barmbek die östliche Ringstrecke mitbenutzen und im Norden nach Bramfeld weiterführen. Erst als klar wurde, dass der Umbau des U-Bhf Rathaus der U3 samt unterirdischer Einfädelung der Neubaustrecke aus der HafenCity zu aufwändig werden würde, änderte man die Planungen, schließlich war der U2-Bahnhof Jungfernstieg seinerzeit vorausschauend für eine weitere geplante Linie (heutige U5) viergleisig errichtet worden. Seit Ende 2012 nutzt die U4 dort nun die äußeren Gleise und erreicht auf einer rund 3,5 km langen Fahrt durch eingleisige Röhren

*The oldest part of today's line **U2** is the Eimsbüttel branch of the original circle line, which opened in 1913/14 with stations at Christuskirche, Emilienstraße and Osterstraße. This branch began at Schlump and until 1964 terminated at Hellkamp. In preparation for the Stellingen – Billstedt line, the entire branch was closed for a year in 1964, the Hellkamp terminus replaced by a new station called Lutterothstraße, and the line extended on the surface to Hagenbecks Tierpark. At the same time, the construction of the cross-city route began. The deep-level route between Schlump and Berliner Tor was excavated with tunnel boring machines. It opened in stages and was first operated with shuttle trains (U21 Hauptbahnhof Nord – Barmbek and U22 Schlump – Gänsemarkt) until through service was possible from 1973.*

The route from Berliner Tor to Billstedt was built by cut-and-cover, and was therefore already able to be brought into service in stages between 1967 and 1970. Contrary to the initial plans, it was then connected to line U3, and thus, despite the 120 m long platforms on this section, only 90 m trains could be used. The Billstedt branch was extended to a new housing estate at Mümmelmannsberg in 1990.

From 1979, line U2 was extended towards Niendorf through relatively sparsely populated areas. It reached its present northwestern terminus Niendorf Nord in 1991.

*The metro expansion project presented in 2002 contained a new line **U4** to serve the HafenCity, a new, though still unfinished district in the former port area. Line U4 was to share the eastern section of the circle*

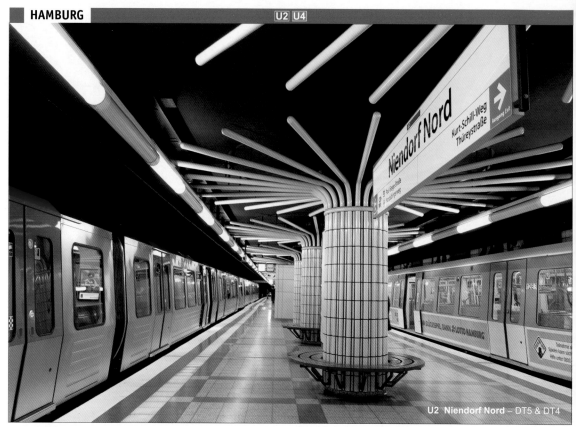

U2 Niendorf Nord – DT5 & DT4

ohne Halt den U-Bhf Überseequartier. Mangels Bebauung wurde der nächste Bahnhof HafenCity Universität erst im August 2013 eröffnet. Bald danach wurde der Bau fortgesetzt, so dass die U4 nun seit Dezember 2018 bis zu ihrer vorläufigen Endhaltestelle Elbbrücken fahren kann. Über den „Skywalk", eine Fußgängerbrücke über eine Straße und die Fernbahngleise Richtung Hannover und Bremen, erreicht man ab Ende 2019 die gleichnamige neue Station der S-Bahn. Langfristig könnte die U4 über die Elbe in den Stadtteil Wilhelmsburg verlängert werden.

Im Osten der Stadt bekommt die U4 einen eigenen Ast auf die Horner Geest. Dazu wird der U-Bahnhof Horner Rennbahn zu einem dreigleisigen Verzweigungsbahnhof umgebaut, indem für die stadtauswärts fahrenden Züge beider Linien eine neue eingleisige Bahnsteighalle angefügt wird. Auf der rund 1,9 km langen Neubaustrecke entstehen zwei neue unterirdische Haltestellen, Stoltenstraße und Dannerallee.

U2/U4 Burgstraße

line between Rathaus and Barmbek before continuing north to Bramfeld on a new alignment. Only when it became obvious that the reconstruction of the existing Rathaus station on line U3 plus an underground junction for the new line to and from the HafenCity would be too costly and complex was the project modified – after all, the U2 station at Jungfernstieg had been laid out with another future line (today's U5) in mind, thus allowing the outer tracks to be used by line U4 since late 2012. On a 3.5 km nonstop journey through single-track tubes, the new line reaches the underground station Überseequartier. Due to a lack of development, the opening of the next station, HafenCity Universität, was postponed until August 2013. Soon after, construction continued, and in December 2018 line U4 reached Elbbrücken, its present elevated terminus. Via the 'skywalk', a pedestrian bridge that crosses over a road as well as the long-distance railway tracks to Hanover and Bremen, interchange will be provided with the S-Bahn from late 2019 at a new station of the same name. In the long term, line U4 may be extended across the Elbe River to the district of Wilhelmsburg.

In the eastern part of the city, a new branch to serve an area known as Horner Geest will be built for line U4. The existing station Horner Rennbahn will be rebuilt to become a 3-track junction by adding an extra single-track station box for outbound trains. The approximately 1.9 km extension will include two underground stations, Stoltenstraße and Dannerallee.

U2/U4 Rauhes Haus – DT4 #115

U2/U4 Berliner Tor

U2 Joachim-Mähl-Straße

U2 Lutterothstraße

U2 Schlump – DT5 #306

U4 Jungfernstieg

U4 HafenCity Universität – DT5 #316

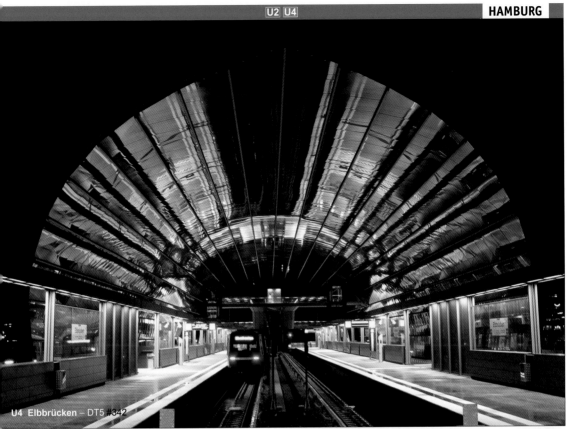

U4 Elbbrücken – DT5 #342

U4 Überseequartier

U3 Eppendorfer Baum – DT5 #371

U3 Barmbek – Wandsbek-Gartenstadt

Seit 2009 befährt die U3 wieder die volle Ringstrecke, wie sie es bereits von 1912 bis 1967 getan hatte, bevor sie vom Berliner Tor Richtung Billstedt verlängert wurde. Um auch den verbleibenden Ast nach Wandsbek-Gartenstadt bedienen zu können, kann allerdings kein echter Ring-betrieb durchgeführt werden. Die Linie U3 beginnt in Barmbek auf den inneren Gleisen und führt erst Richtung Westen über Kellinghusenstraße zu den Landungsbrücken, dann am Hafen entlang nach Osten zum Hauptbahnhof und über Mundsburg zurück nach Barmbek (nun auf den äußeren Gleisen), bis sie schließlich über Habichtstraße den Endbahnhof Wandsbek-Gartenstadt erreicht, wo am selben Bahnsteig zur U1 umgestiegen werden kann. Auf der ursprünglichen Ringlinie lagen anfangs nur etwa 3,3 km unterirdisch, weshalb die Bezeichnung „Hochbahn", die sich bis heute im Namen der Hamburger Verkehrsbetrie-be erhalten hat, gerechtfertigt war. Die Stationen Berliner Tor und Lübecker Straße wurden erst später im Zuge von Umbauten zu unterirdischen Bahnhöfen. Die getrennten Bahnsteighallen am Hauptbahnhof beherbergten vor dem 2. Weltkrieg noch jeweils ein Gleis für die Züge von/nach Rothenburgsort. Der ursprüngliche Abzweig nördlich der Haltestelle Schlump steht heute noch als eingleisige Ver-bindung zur U2 zur Verfügung.

Anders als auf der U1 und U2, wo die Bahnsteige 120 m lang sind, beträgt die Bahnsteiglänge an einigen Stationen der historischen Ringstrecke nur 90 m, weshalb auf dieser Linie nur kürzere Züge eingesetzt werden können. Die U3 verkehrt tagsüber alle 5 Minuten, in der morgendlichen Hauptverkehrszeit jedoch alle 2-3 Minuten.

Since 2009, line U3 has served the entire circle line, the way it did from 1912 until 1967 before the extension from Berliner Tor to Billstedt opened. To maintain service on the short branch to Wandsbek-Gartenstadt, no real continuous circular operation can be provided. Line U3 now starts from the inner tracks at Barmbek, heading west towards Kellinghusenstraße and Landungsbrücken before turning east along the harbour to Hauptbahnhof; via Mundsburg it passes Barmbek again (now on the outer tracks) and finally, via Habichtstraße, reaches its terminus at Wandsbek-Gartenstadt where cross-platform interchange with line U1 is provided. Along the original circle line only 3.3 km was initially underground, and therefore the term 'Hochbahn' [elevated railway] was certainly accurate. The stations at Berliner Tor and Lübecker Straße were only covered later. Before World War II, the separate platform halls at Hauptbahnhof each used to accommodate an additional track for trains to and from Rothenburgsort. The original branch that diverged just north of Schlump station is still available as a single-track link between lines U2 and U3.

Unlike lines U1 and U2 with their 120 m platforms, the platforms in some stations along the old circle line are only 90 m long, and therefore only shorter trains can be used. Line U3 operates every 5 minutes during daytime hours, but every 2-3 minutes during the morning rush hour.

U3   20.7 km (4.9 km Ⓤ)
26 Bahnhöfe | *stations* (9 Ⓤ)

U3 **St. Pauli** – DT5 #376

U3 **Barmbek** – Umsteigen von der U3 zur U3 am selben Bahnsteig | *cross-platform interchange between U3 and U3*

U3 Hauptbahnhof Süd – DT5

U3 Mundsburg

U3 Mundsburg – DT5 #322

U3<>U1 Wandsbek-Gartenstadt

U3 Berliner Tor

U3 Rathaus – DT5 #313

U3 Hamburger Straße

Hauptbahnhof – TW 3000 #3023

HANNOVER

Hannover ist die Landeshauptstadt von Niedersachsen und hat 535.000 Einwohner. Im Großraum Hannover, der u.a. die Städte Laatzen, Garbsen und Langenhagen einschließt, leben rund 1,1 Mio. Menschen. Im GVH (*Großraum-Verkehr Hannover*) kostet eine Tageskarte 5,60 € (Stadt Hannover), 7,20 € (unmittelbares Umland) bzw. 8,80 € (Gesamtregion, z.B. Sarstedt)

Die *ÜSTRA Hannoversche Verkehrsbetriebe AG* betreibt ein typisches Stadtbahnnetz, das einerseits aus hochwertigen U-Bahn-Strecken im Stadtzentrum, andererseits aber auch aus straßenbündigen Abschnitten in manchen Außenbereichen besteht. Der Großteil der oberirdischen Zulaufstrecken befindet sich allerdings auf eigenem Gleiskörper. Auch wenn in den letzten Jahren zahlreiche Hochbahnsteige errichtet wurden, bleiben weiterhin rund 40 Haltestellen ohne barrierefreien Einstieg, vor allem auf den Linien 1, 9 und 10, während auf einigen Linien (3, 4, 5, 7, 8) bereits Fahrzeuge ohne Klapptrittstufen eingesetzt werden können.

Im Jahr 1965 fiel in Hannover die Entscheidung für den Bau eines U-Bahn-Netzes mit drei Linien, eine vierte wurde 1966 hinzugefügt. Man orientierte sich dabei an den Planungen in München und Nürnberg und setzte die Bahnsteiglänge mit 100 m fest. Das Tunnelprofil wurde für 2,90 m breite Fahrzeuge vorbereitet, vorerst sollten allerdings nur 2,40 m breite eingesetzt werden. Als bald klar wurde, dass eine richtige U-Bahn nur sehr langfristig umsetzbar sein würde, entschied man sich für den Mischtyp „Stadtbahn". Anders als etwa in Köln oder im Ruhrgebiet verkehrten in den Tunneln von Anfang an nur neue Stadt-

Hanover is the capital of the German state of Lower Saxony and has 535,000 inhabitants. The metropolitan area, which includes towns like Laatzen, Garbsen and Langenhagen, is home to some 1.1 million people. GVH (*Großraum-Verkehr Hannover*) day tickets are available for €5.60 (Hanover City), €7.20 (including neighbouring towns) and €8.80 (entire region including Sarstedt).

The 'ÜSTRA Hannoversche Verkehrsbetriebe AG' operates a typical Stadtbahn system, with metro-style underground routes in the city centre, but also some street-running sections in the outer areas. Most of the surface feeder routes, however, run on separate rights-of-way. Despite the construction of numerous high-level platforms in recent years, some 40 stops have still not been made fully accessible, notably on lines 1, 9 and 10, while several lines (3, 4, 5, 7 and 8) can already be operated with trains that no longer feature folding steps.

The decision to build a proper U-Bahn system with three lines was taken in 1965; a fourth line was added to the project in 1966. The parameters applied were similar to those used in Munich and Nuremberg, and platform lengths were fixed at 100 m. The tunnel profile was designed for 2.90 m wide cars, although initially only 2.40 m cars were to be used. As it soon became obvious that a full-scale metro would require a long period of time to complete, the project was turned into a 'Stadtbahn' scheme instead. Unlike in Cologne or the Ruhr District, the tunnels have been used by Stadtbahn vehicles exclusively from the very beginning, in this case the TW 6000, so the platforms were built just 82 cm high. In the

bahnfahrzeuge vom Typ TW 6000, so dass die Stationen nur mit 82 cm hohen Bahnsteigen ausgebaut wurden. Doch lediglich drei (A-C) der vier geplanten Innenstadtstrecken wurden schließlich fertiggestellt. Für die D-Strecke (Ahlem – Kronsberg) wurden beim Bau der unterirdischen Anlagen am Steintor und am Hauptbahnhof entsprechende Vorleistungen getroffen, nicht jedoch am U-Bhf Marienstraße. Nach Ausbau und Verlegung der oberirdischen Strecke für die Linien 10 und 17 zu einem neuen Endpunkt am Ostausgang des Hauptbahnhofs ist der Bau der vierten Tunnelstrecke in absehbarer Zukunft keine Option mehr.

Durch die drei vollendeten Tunnel verkehren heute verschiedene Linien, die sich in den Außenbereichen verzweigen. Auf allen Linien besteht tagsüber ein 10-Minuten-Takt, was z.B. auf der C-Strecke im Stadtzentrum zu einem 2½-Minuten-Takt führt.

Der Stadtbahnbau begann in Hannover 1965 am U-Bahnhof Waterloo. Der Großteil der Tunnel wurde in offener Bauweise errichtet, lediglich auf der C-Strecke östlich des Aegidientorplatzes und auf der B-Strecke nördlich des Hauptbahnhofs kam der Schildvortrieb zur Anwendung. Bergmännisch wurde auch die Abzweigung zur Christuskirche gebaut. Alle Verzweigungen wurden kreuzungsfrei ausgeführt. Am Hauptbahnhof (A/B) und am Aegidientorplatz (A/C) kann man bequem am selben Bahnsteig umsteigen. Außerhalb des Stadtzentrums findet man noch einen vollwertigen U-Bahnhof auf der Strecke nach Wettbergen, nämlich Mühlenberger Markt.

Während die bestehenden Straßenbahnstrecken nach und nach ausgebaut wurden bzw. werden, entstanden

Aegidientorplatz – TW 6000 #6212

end, only three (A-C) of the four planned tunnels through the city centre were completed. For route D (Ahlem – Kronsberg), provisions were made when the underground stations were built at Steintor and Hauptbahnhof, but not at Marienstraße. After the recent upgrading and realignment of the surface route for lines 10 and 17, with a new terminus at the eastern exit of the railway station, the construction of the fourth tunnel route is no longer an option in the foreseeable future.

The three finished tunnels are used by several lines which serve different branches in the outer areas. During daytime service, all the lines operate a 10-minute service, resulting in a train every 2½ minutes through the C-tunnel, for example.

The construction of the Hanover Stadtbahn began at Waterloo station in 1965. Most of the tunnels were built by cut-and-cover, except for the C-tunnel east of Aegidientorplatz and the B-tunnel north of Hauptbahnhof, which were excavated with tunnel boring machines. The C-branch towards Christuskirche was built using the NATM. All junctions are grade-separated. At Hauptbahnhof (A/B) and Aegidientorplatz (A/C), cross-platform interchange is provided. Outside the city centre, a fully underground station called Mühlenberger Markt is located on the route to Wettbergen.

While the existing tram routes have been and still are being upgraded to Stadtbahn standard, several new sections have been added since the 1970s, e.g. the route to Messe Ost via Kronsberg, which opened in 2000 for the

Stadtbahn Hannover

118.5 km (~ 18.6 km Ⓤ)
206 Haltestellen | *stops* (22 Ⓤ)

Tunnelstrecken und neuere oberirdische Erweiterungen:
Tunnel sections and recent surface extensions:

26-09-1975 Ⓐ Schwarzer Bär ◣ Waterloo – Hauptbahnhof
04-04-1976 Ⓐ Hauptbahnhof – Lister Platz ◢ Lortzingstr.
25-09-1977 Ⓐ Am Sauerwinkel ◢ Mühlenberger Markt
27-05-1979 Ⓐ Kröpcke – Werderstr. ◢ Vahrenwalder Platz
31-05-1981 Ⓑ Kröpcke – Schlägerstraße
26-09-1982 Ⓑ Schlägerstraße – Altenbekener Damm ◢ Döhrener Turm
26-09-1982 Ⓒ Kröpcke – Aegidientorplatz
30-03-1984 Ⓒ Kröpcke – Steintor
02-06-1985 Ⓒ Steintor – Königsworther Platz ◢ Leibniz Uni
24-09-1989 Ⓒ Aegidientorplatz – Braunschweiger Platz ◢ Clausewitzstraße
26-09-1993 Ⓒ Steintor – Kopernikusstraße ◢ An der Strangriede
29-05-1999 Ⓐ Waterloo ◢ Allerweg
29-05-1999 Ⓐ Mühlenberger Markt ◢ Wettbergen
13-11-1999 Ⓒ Clausewitzstraße – Feldbuschwende
12-02-2000 Ⓒ Feldbuschwende – Messe Ost
11-06-2006 Ⓐ Paracelsusweg (Lahe) – Altwarmbüchen
12-12-2010 Ⓐ Paracelsusweg – Schierholzstraße
14-12-2014 Ⓐ Schierholzstraße – Misburg
18-12-2017 Ⓓ Steintor – Hauptbahnhof/ZOB*

* als Ersatz für | *replacing* Steintor – Hauptbahnhof – Aegidientorplatz

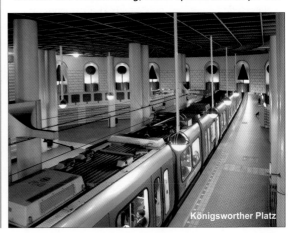
Königsworther Platz

Ⓑ **Kröpcke** – TW 2000 #2036

für die Stadtbahn seit den 1970er Jahren auch einige Neubaustrecken, z.B. 1999/2000 anlässlich der Expo 2000 über Kronsberg zur Messe Ost (ursprünglich geplant als Südast der D-Strecke) und zuletzt 2006 bzw. 2014 die Verlängerung der A-Strecke von Lahe (Paracelsusweg) nach Altwarmbüchen sowie nach Misburg. Der Bau eines Südastes nach Hemmingen soll bis Anfang der 2020er Jahre erfolgen (später weiter nach Arnum).

Bei der Stadtbahn Hannover sind heute drei verschiedene Typen im Einsatz:
1) die lindgrünen TW 6000, von denen mittlerweile über 100 nach Budapest abgegeben wurden;
2) die silberfarbenen TW 2000, die als 25,7 m lange Kurzversion und als 49,6 m lange, durchgehend begehbare Doppeleinheit (TW 2500) geliefert wurden und durch Wölbung der Außenwände oberhalb der Bahnsteigkante eine größere Breite aufweisen;
3) die neuen TW 3000, die erstmals ohne Klapptrittstufen auskommen.
Auf vielen Linien verkehren 75 m lange Züge, zu bestimmten Anlässen werden auf der Linie 8/18 zur Messe auch 100 m lange Züge eingesetzt.

World Expo 2000 and was planned as the southern leg of route D. Most recently, route A was extended from Lahe (Paracelsusweg) to Altwarmbüchen and Misburg in 2006 and 2014, respectively. By the early 2020s, a southern branch to Hemmingen (and later to Arnum) will be built.

The Hanover Stadtbahn is operated with three types of trains:
1) the lime-green TW 6000, more than 100 of which have been transferred to Budapest;
2) the silver TW 2000, which is available as a 25.7 m single unit as well as a 49.6 m double unit with gangways between all the modules (TW 2500), and which features vaulted side walls that increase its overall width;
3) the new TW 3000, the first vehicle built without folding steps.
On several lines, 75 m trains are in service, and during special events at the trade fair grounds, 100 m long trains can be seen on line 8/18.

Fahrzeuge | Rolling Stock

Nummer Number	Anzahl Quantity	Hersteller Manufacturer	Typ Class	Länge Length	Breite Width	Ausgeliefert Delivered
6107...6260	~107	Duewag	TW 6000	28.3 m	2.40 m	1980-1992
2001-2006, 2008-2048	47	Alstom LHB	TW 2000	25.7 m	2.65 m	1997-1999
2501-2596	48 (x2)	Alstom LHB	TW 2500	49.5 m	2.65 m	1997-2000
3001-3253	110/153	HeiterBlick/Alstom/Vossloh Kiepe	TW 3000	25.2 m	2.65 m	2013-

6 ▶ *Nordhafen*   **1** ▶ *Langenhagen*   Großer Kolonnenweg

2 ▶ *Alte Heide*

Mittellandkanal   **3** ▶ *Altwarmbüchen*

7 ▶ *Misburg*

9 ▶ *Fasanenkrug*

Büttnerstraße

Hainhölzer Markt   Spannhagengarten

Niedersachsenring   Pelikanstraße

↯
Hamburg
Bielefeld   Fenskestraße   Vier Grenzen

S1·S2·S4·S5   Dragonerstraße   Lortzingstraße

Haltenhoff-
straße   Bahnhof Nordstadt

11

4 ▶ *Garbsen*   An der
Strangriede   Vahrenwalder Platz

5 ▶ *Stöcken*   Werderstraße

Kopernikus-
straße   Lister Platz

Schneiderberg/
Wilhelm-Busch-
Museum   Ⓐ

Ⓑ   Sedanstraße / Lister Meile

Christuskirche

Leibniz Universität   **11** ○ **Zoo**

10 **17**   Hannover
Congress Centrum ◆

16   **Hauptbf./**
ZOB   **8** **18** **10**

Königsworther
Platz   Ⓒ   Hbf./Rosenstr.   **Hauptbahnhof**

Steintor   **HANNOVER Hbf**

10 ▶ *Ahlem*   Glocksee ◆

Goetheplatz   Kröpcke   *S3·S6·S7*   Berlin

nur | only **10** ↗   Clausewitzstraße

Am Küchengarten ◆   Markthalle /
Landtag   Marienstraße   Ⓒ

Humboldtstr.   Braunschweiger
Platz   Freundallee

Schwarzer
Bär   Ⓐ   Aegidientorplatz   **4** ▶ *Roderbruch*

9 ▶ *Empelde*   Waterloo   **5** ▶ *Anderten*

Nieschlag-
str. ◆   Lindener
Marktplatz   Kerstingstraße

Schlägerstraße   Kinderkrankenhaus
auf der Bult

Allerweg   **6** **16** ▶ *Messe/Ost*

◆ Haltestelle ohne Hochbahnsteig
Stop without high platforms   Geibelstraße   H-Bismarckstraße

Stadionbrücke

Hameln   Ⓑ

S1·S2·S5   Altenbekener Damm

Bf. Linden/Fischerhof

1 km

Schünemannplatz

3 **7** ▶ *Wettbergen*   **1** ▶ *Laatzen/Sarstedt*   Döhrener Turm

17 ▶ *Wallensteinstraße*   **2** ▶ *Rethen*   *S1·S2·S5*

Beekestraße   **8** **18** ▶ *Messe/Nord*   *Frankfurt*
München

S4

Steintor – TW 3000 #3074

Schlägerstraße – TW 2000 #2038

Sedanstraße/Lister Meile – TW 6000 #6218

Marienstraße – TW 3000 #3046

Äußere Kanalstraße – K5000 #5213

KÖLN

Mit knapp über einer Million Einwohnern ist Köln die viert-größte Stadt Deutschlands. Sie erstreckt sich beiderseits des Rheins, wobei das historische Stadtzentrum am linken Ufer liegt.

Das Kölner Stadtbahnnetz umfasst derzeit 12 Linien, von denen 7 zum Hochflur- und 5 zum Niederflurnetz gehören. Bis auf einzelne straßenbahnartige Abschnitte (Westast der Linie 9 oder Südast der Linie 12) entspricht auch der Ausbauzustand des Niederflurnetzes dem einer Stadtbahn, schließlich gehen einige Außenstrecken auf ehemalige Überlandlinien zurück.

Alle Linien verkehren tagsüber im 10-Minuten-Takt, mit Verstärkerzügen auf einzelnen Abschnitten in den Hauptverkehrszeiten. Die Kölner Stadtbahn wird von der *Kölner Verkehrs-Betriebe AG* (KVB) betrieben. Das Netz ist über zwei Strecken, die Rheinuferbahn (Linie 16) und die Vorgebirgsbahn (Linie 18), mit der Stadtbahn Bonn ver-bunden. Beide Unternehmen sind Partner im *Verkehrsver-bund Rhein-Sieg* (VRS): Für Köln benötigt man ein Ticket der Preisstufe 1b (Tageskarte 8,80 €), für das Umland gilt Preisstufe 2b (11,10 €), nach Bonn Preisstufe 4 (19,10 €) und bis Bad Honnef, dem südlichsten Punkt des Köln-Bonner Stadtbahnnetzes, Preisstufe 5 (25,90 €).

Der Bau einer Unterpflasterstraßenbahn, in der Form eines liegenden „H", begann in Köln bereits 1963. Während die Tunnelanlagen in anderen Städten wenige Jahre später weitsichtig nach U-Bahn-Parametern gebaut wurden, leidet Köln bis heute an seiner Pionierstellung, da die Abzwei-gungen der ersten Tunnelstrecken niveaugleich und mit

With just over 1 million inhabitants, Cologne is Ger-many's fourth largest city. It extends on both sides of the River Rhine, with the historical city centre located on the left bank.

Cologne's Stadtbahn network comprises 12 lines, 7 of which are part of the high-floor and 5 part of the low-floor network. Except for some tram-like sections (e.g. western leg of line 9 and southern part of line 12), the standard of most surface routes on the low-floor network is that of a Stadtbahn or light rail system, as after all, several of the outer routes date back to interurban local railways.

During daytime service, all the lines run every 10 minutes, with extra trains on certain sections during peak hours. The Cologne Stadtbahn is operated by the KVB (Kölner Verkehrsbetriebe AG). The urban network is linked to the Bonn Stadtbahn via two routes (line 16/ Rheinuferbahn and line 18/Vorgebirgsbahn). Both systems are integrated into the VRS fare system (Verkehrsverbund Rhein-Sieg): A day pass costs €8.80 for Cologne (fare zone 1b), including neighbouring towns it costs €11.10 (2b), including Bonn €19.10 (fare zone 4) and all the way to Bad Honnef, the southernmost point of the Cologne/Bonn Stadtbahn network, €25,90 (fare zone 5).

The construction of an underground tram network, which had the shape of a lying H, began in Cologne in 1963. While tunnels in other cities were built to full metro standards just a few years later, Cologne is still paying the price for its pioneering role, because the first routes were

engen Radien ausgeführt wurden, was heute die Kapazität der Innenstadtstrecken stark einschränkt.

Aber auch in Köln begann man Ende der 1960er Jahre nach U-Bahn-Manier zu bauen, dabei galten dieselben Richtlinien wie für die Stadtbahn Rhein-Ruhr. Vorerst erhielten alle Stationen nur Niedrigbahnsteige, schließlich fuhren in Köln bis 2006 Straßenbahnfahrzeuge aus den 1960er Jahren durch die Tunnel. Der Bau von Hochbahnsteigen erfolgte erstmals in den 1980er Jahren entlang der „Ehrenfelder U-Bahn“ (Linien 3 und 4). Als Anfang der 1990er Jahre moderne Straßenbahnwagen mit Niederflureinstieg auf den Markt kamen, entschied Köln, einen Teil der Strecken, vorerst die Ost-West-Achse, nicht auf Hochflur umzubauen, sondern stattdessen ein separates Niederflur-Stadtbahnnetz zu schaffen. 2003 kamen auch die Linien entlang des Rings hinzu, da so auf der Strecke nach Zollstock keine Hochbahnsteige gebaut werden mussten. Die Anordnung der Fest- und Fahrtreppen erinnert vielerorts jedoch heute noch an die einst geplante Hochflur-U-Bahn.

built with narrow curves and flat junctions which now cause significant capacity constraints.

Towards the end of the 1960s, Cologne also turned to U-Bahn-like tunnels, applying the parameters set for the Stadtbahn Rhein-Ruhr. The stations were all initially built with low platforms only, and up until 2006, the tunnels were still used by tram cars built in the 1960s. High platforms were first built in the 1980s along the 'Ehrenfeld U-Bahn' (lines 3 and 4). When the first low-floor tram vehicles became available in the early 1990s, the city of Cologne decided to create a separate low-floor network, initially on the east-west route, instead of rebuilding all the stations with high-floor platforms. In 2003 the route along the Ring was added to the low-floor network, so no high platforms had to be built along the surface Zollstock branch. In many stations, stairs and escalators laid out for high platforms are testimony to the original metro ambitions.

Köln - Stadtbahn

190 km* (~ 30 km Ⓤ)
~237* Haltestellen | *stops* (40 Ⓤ)

11-10-1968	Friesenplatz ◣ Appellhofplatz (Zeughaus) – Dom/Hbf
06-10-1969	Barbarossaplatz ◣ Poststraße – Appellhofplatz
19-10-1970	Severinstraße ◣ Poststraße
	Dom/Hbf – Breslauer Platz ◢ Ebertplatz
18-05-1971	Longericher Straße ◣ Heimersdorf
17-11-1973	Heimersdorf – Chorweiler
25-08-1974	◣ Hansaring – Ebertplatz ◢ Zoo
	Breslauer Pl. – Ebertpl. – Neusser Str./Gürtel ◢ Mollwitzstr.
	[Nußbaumerstraße –] Escher Straße – Slabystraße
13-06-1976	◣ Fuldaer Straße ◢
07-11-1976	Slabystraße – *(Mülheimer Brücke) [– Wiener Platz]*
10-10-1979	Zoo – Slabystraße
02-08-1980	◣ Deutz Technische Hochschule – Fuldaer Straße
26-10-1980	Heumarkt – *(Deutzer Brücke)* – Deutzer Freiheit
15-06-1981	Kalk Kapelle – Vingst ◢
31-08-1981	Severinstraße – *(Severinsbrücke)* – Suevenstraße
10-04-1983	Deutzer Freiheit ◣ Bf. Deutz/Messe – Deutz Techn. HS
14-04-1985	Appellhofplatz – Hans-Böckler-Platz ◢ Gutenbergstraße
31-10-1987	Hansaring – Rudolfplatz ◢ Zülpicher Platz
15-09-1989	Hans-Böckler-Platz – Venloer Straße/Gürtel
28-09-1991	Reichenspergerstraße ◢ Niehl Sebastianstraße
30-05-1992	Venloer Straße/Gürtel – Akazienweg ◢ Wolffsohnstraße
31-05-1997	*(Mülheimer Brücke)* ◣ Wiener Platz – Mülheim Bahnhof
	◢ Buchheim Herler Straße
28-05-2000	Im Hoppenkamp ◣ Bensberg
...	
12-12-2010	Rektor-Klein-Straße – Am Butzweilerhof
09-12-2012	Dom/Hbf – Rathaus
15-12-2013	Rathaus – Heumarkt
13-12-2015	Severinstraße – Bonner Wall ◢ Schönhauser Straße
27-08-2018	Ollenhauerring – Görlinger-Zentrum
~ 2022	*Bonner Wall ◢ Marktstraße – Arnoldshöhe (2.5 km)*
~ 2023	*Severinstraße – Heumarkt (0.6 km)*

* inkl. Überlandstrecken Köln – Bonn bis Bonner Stadtgrenze
including interurban routes Cologne – Bonn up to Bonn city boundary

◣ Tunneleinfahrt *tunnel portal*
◣ ehem. Rampe *former ramp*

Neusser Straße/Gürtel

Bahnhof Deutz/Messe

KÖLN

Niederflurnetz | Low-floor system
1 7 9 12 15
kreuzungsfrei | grade-separated
nicht kreuzungsfrei | not grade-separated

Hochflurnetz | High-floor system
3 4 5 13 16 17 18
kreuzungsfrei | grade-separated
nicht kreuzungsfrei | not grade-separated
Stadtbahn auf Eisenbahntrasse
light rail on railway alignment
Eisenbahn | Railways (incl. S-Bahn)

Neuss Düsseldorf
Neuss Düsseldorf
K-Chorweiler Nord
12 Merkenich
Merkenich Mitte
15 Chorweiler
Chorweiler
Fordwerke Nord
Volkhovener Weg
Fordwerke Mitte
Heimersdorf
Fordwerke Süd
Geestemünder Str.
Longericher Str.
Meerfeldstr.
Altonaer Platz
Niehl 12
Longerich
15
Longerich Friedhof
Herforder Straße
Wilhelm-Sollmann-Str.
4 ► Schlebusch
Düsseldorf
Wuppertal
Leuchterstraße
Scheibenstraße
16
Niehl
Sebastianstraße
K-Stammheim
Am Emberg
Sparkasse
5
Am Butzweilerhof
Mollwitzstraße
Im Weidenbruch
Görlinger-Zentrum
3
IKEA Am Butzweilerhof
Nesselrodestr.
Holweide
Ollenhauerring
Alter Flughafen Butzweilerhof
Neusser Str./ Gürtel
Mülheim Berliner Str.
S11
Schaffrathsgasse
Rektor-Klein-Straße
Amsterdamer Str./Gürtel
13
Von-Sparr-Str.
Bocklemünd
Geldernstraße / Parkgürtel
Slabystraße
3 18 ► Thielenbruch
Westfriedhof
Margaretastr.
Kinder-krankenhaus
Boltensternstraße
Keupstr.
Holweide
Vischeringstr.
4
Iltisstraße
Escher Straße
Florastr.
Mülheim Wiener Platz
3
Wolffsohnstr.
16
Zoo/ Flora
13
Grevenbroich
Lenau-platz
Nippes
18
Wichheimer Str.
Akazienweg
4
Subbelrather Str./ Gürtel
Nußbaumstr.
Lohsestr.
Grünstr.
Buchforst
Mülheim
18
Buchheim Herler Str.
Äußere Kanalstraße
Leyendeckerstr.
Ehrenfeld
Gutenbergstr.
Ebert-platz
Reichensperger-platz
Buchforst Waldecker Str.
Buchheim Frankfurter Str.
Müngersdorf / Technologiepark
S12·S13·S19
Venloer Str./ Gürtel
Liebigstr.
Christophstr. / Mediapark
16·18
3
Aachen Bruxelles
Weinsbergstr./Gürtel
Körnerstr.
Hansaring
Breslauer Pl./Hbf
Koelnmesse
Stegerwald-siedlung
1 ► Bensberg
1 ► Weiden West
Oskar-Jäger-Str./Gürtel
Piusstr.
3·4
Appellhofpl.
KÖLN Hbf
K-Messe/ Deutz
3·4
Fuldaer Str.
Kalker Friedhof
Clarenbachstift
Hans-Böckler-Platz / Bf West
Appellhofpl. (Zeughaus)
Dom/Hbf
Deutz Techn. Hochschule
Kalk Kapelle
1
Höhenberg Frankfurter Str.
Eupener Str.
K-West
Kalk Post
1·9
Junkersdorf
Alter Militärring
Maarweg
Melaten
Friesenpl.
Moltkestr.
Dom/Hbf Rathaus
5
Deutz Freiheit
Deutz/ Messe
Trimbornstr.
Vingst
Rheinenergie-Stadion
Aachener Str. / Gürtel
7
1·7
Universitäts-str.
Appellhof pl.
1·7·9
Bf Deutz/ Messe
9
Ost-heim
Wüllnerstraße
7·13
Rudolfplatz
Neu-markt
Heumarkt
Bf Deutz/Arena
Suevenstr.
9 ► Königsforst
Brahmsstraße
Dürener Str./ Gürtel
Zülpicher Platz
17
1·7·9
Dasselstr./Bf Süd
Poststr.
Severinsbrücke
Drehbrücke
Universität
Lindenburg (Unikliniken)
K-Süd
Barbarossa-platz
Severinstr.
3·4
Kartäuserhof
Poller Kirchweg
S12·S13·S19
Stüttgenhof
7
Gleueler Str./Gürtel
Weyertal Weißhaus-str.
Ulre-pforte
Ubierring
15
Köln/Bonn Frankfurt
Zülpicher Str./Gürtel
18
Eifelstr.
Eifel-wall
16
Mommsenstr.
Arnulf-str.
Eifelplatz
Raiffeisenstr.
Airport-Businesspark
7 ► Frechen-Benzelrath
Sülz Hermeskeiler Platz
9
Chlodwigplatz
Bonner Wall
Schönhauser Str.
Poll Salmstr.
Euskirchener Str.
Pohligstr.
17
Baumschulenweg
Westhoven Kölner Straße
Berrenrather Str./Gürtel
13
Sülzgürtel
Herthastr.
Raiffeisenstr.
Bayenthal-gürtel
Ensen Gilgaustr.
Klettenbergpark
18
Sülzburgstr.
Gottesweg
(Marktstr.)
7 ► Zündorf
(Cäsarstraße)
Westhoven Berliner Str.
1) Mauritiuskirche
Zollstock-gürtel
(Bonner Straße/ Gürtel)
12
Zollstock Südfriedhof
(Ahrweilerstr.)
Heinrich-Lübke-Ufer
Rhein
Efferen
(Arnoldshöhe)
17
Rodenkirchen
Kiebitzweg
HÜRTH
Hürth-Hermülheim
Siegstraße
16
◆ Haltestelle im Hochflurnetz ohne Hochbahnsteig
Stop on high-floor network without high platforms
Hürth-Kalscheuren
1 km
18 ► Brühl, Bonn
Bonn
16 ► Sürth, Wesseling, Bonn
Michaelshoven

Christophstraße/MediaPark – K4500 #4560

● Niederflurnetz

Zum Niederflurnetz (81,3 km) gehören die Ost-West-Linien (1, 7, 9) sowie die Ringlinien (12, 15). Für die Ost-West-Strecke entstand bis Anfang der 1980er Jahre ein Tunnel im rechtsrheinischen Deutz und Kalk. Im Stadtzentrum endet die kreuzungsfreie Strecke jedoch am Heumarkt, von wo aus die Bahnen die Innenstadt teils straßenbündig durchqueren. Der lange geplante Bau eines Innenstadttunnels wird derzeit wieder verstärkt diskutiert. Die jeweiligen Außenstrecken hingegen sind gut ausgebaut, sie gehen teilweise auf alte Vorortstraßenbahnen zurück. Auf der Linie 9 Richtung Sülz sowie auf der Linie 7 durch Frechen und Poll gibt es jedoch straßenbündige Abschnitte.

Seit 2003 gehören auch die Ringlinien zum Niederflurnetz. Dazu mussten die Hochbahnsteige an der Station Hansaring abgesenkt werden, während das Gleisbett in Chorweiler 2006 aufgeschottert wurde.

Die Niederflurfahrzeuge haben eine Einstiegshöhe von 40 cm, sie verkehren meist als 60 m lange Doppeltraktionen.

● Low-floor Network

The low-floor network (81.3 km) consists of the east-west lines (1, 7, 9) and the ring lines (12, 15). For the east-west lines, a tunnel was built during the 1980s in the districts of Deutz and Kalk on the right bank of the River Rhine. On the city centre side, the grade-separated route ends at Heumarkt, from where the trams continue through the city centre on a partly on-street alignment. The construction of a cross-city tunnel has long been planned and is currently back on the political agenda. The outer sections, however, have a high degree of segregated track as many of them were originally built as suburban tramway lines. On line 9 to Sülz and on line 7 through Frechen and Poll, there are some on-street sections.

In 2003, the ring lines were added to the low-floor network. To do so, the high platforms already built at Hansaring had to be demolished, while the trackbed at Chorweiler was raised in 2006.

The low-floor vehicles have a floor height of 40 cm and normally operate as 60 m double units.

Kalk Kapelle – K4500 #4542

Friesenplatz (untere Ebene | *lower level*) – K4000 #4081

Leyendeckerstraße – B100S #2425 (ex 2195)

● Hochflurnetz

Das Hochflurnetz (108,7 km) besteht aus den städteverbindenden Linien 16 und 18 mit ihren nördlichen Anschlussstrecken nach Mülheim und Niehl sowie aus der zweiten Ost-West-Achse, die von den Linien 3 und 4 bedient wird. Beide Liniengruppen überlappen sich in der Innenstadt zwischen Appellhofplatz und Poststraße. Dazu kommen die Linie 5, die bereits den nördlichen Abschnitt der zukünftigen Nord-Süd-Stadtbahn befährt, die Linie 17 als provisorische Linie auf dem südlichen Teil der Nord-Süd-Stadtbahn sowie die Linie 13, die entlang des Gürtels, einer äußeren Ringstraße, teilweise als kreuzungsfreie Hochbahn verkehrt.

Während die Linien 3 und 4 mittlerweile fast komplett barrierefrei zugänglich sind und auch auf dem oberirdischen Ast der Linie 5 an fast allen Haltestellen Hochbahnsteige errichtet wurden, verfügt die Linie 13 über einen längeren straßenbahnähnlichen Abschnitt, weshalb in absehbarer Zeit nicht auf Klapptrittstufen verzichtet werden kann.

Zur Entlastung der älteren Innenstadttunnel begann 2006 der Bau der sog. „Nord-Süd-Stadtbahn", eines 4 km

● High-floor Network

The high-floor network (108.7 km) consists of the interurban lines 16 and 18 with their respective northern routes to Mülheim and Niehl, as well as the second east-west route served by lines 3 and 4. The two groups of lines share tracks in the city centre between Appellhofplatz and Poststraße. High-floor trains also run on line 5, which serves the northern segment of the future north-south route; line 17, a temporary line operating on the southern segment of the new north-south route; and line 13, which runs along the Gürtel, the outer ring road, partly on an elevated structure and thus partly grade-separated.

While lines 3 and 4 are now almost fully accessible and line 5 has also been equipped with high platforms at almost all the stops on its surface branch, line 13 still features a lengthy tram-like section so vehicles with folding steps will still be required for some time.

In order to relieve the older cross-city tunnels, the construction of the so-called 'Nord-Süd-Stadtbahn', a 4 km north-south tunnel between Hauptbahnhof and Bonner Wall, started in 2006; it was to be served by lines 5 and 16

**Fahrzeuge	*Rolling Stock***						
Nummer *Number*	Anzahl *Quantity*	Hersteller *Manufacturer*	Typ *Class*	Länge *Length*	Breite *Width*	Ausgeliefert *Delivered*
– Hochflur	*High-floor* –						
2031... 2333*	115	Duewag	B100S & B80D	28.0 m	2.65 m	1977-1996
5101-5159, 5201-5215	74	Bombardier	K5000 *Flexity Swift*	29.5 m	2.65 m	2002-2003, 2010
bestellt	*ordered* 03/2015	*20*	*Bombardier*	*Flexity Swift*	*28.0 m*	*2.65 m*	*2020-2021*
– Niederflur	*Low-floor* –						
4001-4124	124	Bombardier	K4000 *Flexity Swift*	29.4 m	2.65 m	1995-2002
4501-4569	69	Bombardier	K4500 *Flexity Swift*	29.0 m	2.65 m	2004-2007

* modernisierte Wagen umnummeriert auf 2**4**xx | *rebuilt car renumbered 2**4**xx*

Dom/Hbf – B80D #2330

langen Tunnels zwischen Hauptbahnhof und Bonner Wall, der ab 2010 von den Linien 5 und 16 genutzt werden sollte. Dazu wurde der U-Bahnhof Breslauer Platz 2007/08 völlig neu gebaut. Im Zuge der Tunnelbauarbeiten zwischen Heumarkt und Severinstraße kam es jedoch am 3. März 2009 zu einem folgenschweren Unfall mitsamt Einsturz des Historischen Archivs der Stadt Köln. Jahrelange Ermittlungen verzögerten den Weiterbau, so dass derzeit frühestens 2023 mit der Aufnahme des durchgehenden Verkehrs gerechnet wird.

Im Hochflurnetz verkehren die auch im Rhein-Ruhr-Gebiet eingesetzten B-Wagen, teils modernisiert und mit neuer Front. Dazu kommen seit 2002 K5000-Wagen von Bombardier. Beide Typen haben eine Fußbodenhöhe von 98 cm und sind mit Klapptrittstufen ausgerüstet, sie verkehren in der Regel als Doppeltraktionen. Als Teil einer gemeinsamen Bestellung mit Düsseldorf erhält Köln ab 2020 neue Fahrzeuge, welche wie bisher mit Klapptrittstufen ausgerüstet sein werden.

from 2010. As part of this project, a totally new station was built at Breslauer Platz in 2007/08. During tunnelling between Heumarkt and Severinstraße, however, a tragic accident occurred on 3 March 2009 which lead to the collapse of the Historical Archives of the City of Cologne. Years of investigation delayed the continuation of construction, so that currently the year 2023 is given as the earliest date to start through operation in the new tunnel.

The high-floor fleet comprises numerous B cars, the same as those also in use in the Rhine-Ruhr area; many of these have been refurbished in recent years and now boast a new front. From 2002, new K5000 cars manufactured by Bombardier have complemented the fleet. Both types are equipped with folding steps and their floor height is 98 cm above the top of the rail. They normally operate as 2-car units. As part of a joint order placed together with Düsseldorf, new vehicles will be delivered to Cologne from 2020; like the older cars, they will also be equipped with folding steps.

Wiener Platz – B80D #2214

Neusser Straße/Gürtel – K5000 #5128

Severinstraße – Linie 17 (untere Ebene) | *line 17 (lower level)*

Heumarkt – zukünftige Ost-West-Ebene | *future east-west level*

Kartäuserhof

Chlodwigplatz

Chlodwigplatz

Rathaus – K5000 #5129

Breslauer Platz/Hbf

U3/U6 Münchner Freiheit – C2 #6702... *(Foto Wolfgang Wellige)*

MÜNCHEN

Die bayerische Landeshauptstadt München ist mit rund 1,5 Mio. Einwohnern nach Berlin und Hamburg die drittgrößte Stadt Deutschlands. Mit den angrenzenden Landkreisen steigt die Bevölkerungszahl des Großraums München auf 2,5 bis 3 Millionen.

Die Münchner U-Bahn wird wie die Straßenbahn und die meisten Busse von der *Münchner Verkehrsgesellschaft mbH* (MVG), einer Tochtergesellschaft der *Stadtwerke München GmbH*, betrieben. Die MVG ist seit 1972 Partner im *Münchner Verkehrs- und Tarifverbund* (MVV). Eine Tageskarte für die Stadt München („Innenraum") kostet 6,70 € und inklusive einem Außenring („XXL") 8,90 €.

Fast 70 Jahre nach Eröffnung der ersten U-Bahn-Strecke in Berlin und fast 60 Jahre nach Hamburg wurde München 1971 die dritte Stadt in Deutschland mit einer echten U-Bahn. Seitdem ist das Netz auf eine Gesamt-länge von rund 95 km angewachsen, wovon etwa 6,5 km außerhalb Münchens in der benachbarten Stadt Garching liegen (XXL-Tageskarte notwendig!). Auf drei Stammstrecken verkehren tagsüber sechs Linien mindestens im 10-Minuten-Takt (U2, U5 und U6 meist alle 5 Min.), wobei im Innenstadtbereich die Zugfolge durch Überlappung zweier Linien und zeitweise eingesetzte Verstärkerzüge (häufig mit verkürztem Umlauf) bzw. die HVZ-Linie U7 verdichtet wird (U8 nur samstags!). Die Münchner U-Bahn ist von ca. 4 Uhr morgens bis ca. 1 Uhr nachts in Betrieb, an Wochenenden etwa eine Stunde länger.

With approximately 1.5 million inhabitants, the Bavarian capital Munich is Germany's third largest city after Berlin and Hamburg. Together with the surrounding counties, the population is about 2.5 to 3 million.

Munich's U-Bahn, as well as its tram and most urban buses, is operated by the MVG (*Münchner Verkehrsgesellschaft mbH*), a subsidiary of the 'Stadtwerke München GmbH'. Since 1972, the MVG has been integrated into the MVV fare system (*Münchner Verkehrs- und Tarifverbund*). A day ticket for Munich (the so-called 'Innenraum') costs €6.70, and for the XXL area (including one outer ring zone), €8.90.

Almost 70 years after the first U-Bahn line opened in Berlin and almost 60 years after Hamburg, Munich became Germany's third city with a proper metro in 1971. In the meantime, the network has grown to some 95 km, with 6.5 km lying outside Munich in the neighbouring town of Garching (XXL day ticket required!). Six lines operate on the three trunk routes at least every 10 minutes during daytime hours (U2, U5 and U6 mostly every

München - U-Bahn

94.9 km (ca. 8.8 km oberirdisch | *above ground*)
102 Bahnhöfe | *stations* (6 oberirdisch | *above ground*)
3 Stammstrecken | *trunk routes* > 6 Linien | *lines*

U4/U5 **Odeonsplatz** – A #6316/7316

Als die ersten U-Bahn-Strecken in Berlin und Hamburg gebaut wurden, gab es auch in München die ersten Vorschläge für eine Untergrundbahn. Konkret wurden diese jedoch erst gegen Ende der 1930er Jahre in der Form eines geplanten unterirdischen S-Bahn-Kreuzes. An der Nord-Süd-Strecke begannen 1938 die Bauarbeiten entlang der Lindwurmstraße zwischen Sendlinger Tor und Goetheplatz. Nachdem ein 590 m langer Tunnel fertiggestellt war, mussten die Arbeiten wegen des Zweiten Weltkriegs im Jahr 1941 eingestellt werden.

In den 1950er Jahren dachte man wie in vielen westdeutschen Großstädten über den Bau von unterirdischen Straßenbahnstrecken nach. 1963 wurde schließlich ein Beschluss gefasst, eine Art Stadtbahn zu bauen, deren Tunnelstrecken später in ein echtes U-Bahn-Netz integriert werden sollten. Bereits ein Jahr später wurde dieser Beschluss jedoch zugunsten einer richtigen U-Bahn revidiert. Als erste sollte die Nord-Süd-Strecke, die weitgehend mit der Trassierung der in den 1930er Jahren geplanten S-Bahn übereinstimmte, gebaut werden. Gleichzeitig begann die Deutsche Bundesbahn mit dem Bau der sog. "Verbindungsbahn" (V-Bahn) zwischen Hauptbahnhof und Ostbahnhof, dem Kernstück des heutigen S-Bahn-Netzes. Als München 1966 als Austragungsort der Olympischen Sommerspiele 1972 ausgewählt wurde, bekam der U-Bahn-Bau einen weiteren Anstoß, so dass das erste Teilstück von Kieferngarten bis Goetheplatz statt wie geplant 1975 bereits 1971 in Betrieb genommen werden konnte.

In den folgenden Jahrzehnten wuchs das Münchner U-Bahn-Netz stetig, so dass das in den 1960er Jahren

5 minutes), with overlapping lines and extra trains, and supplemented by rush-hour line U7 (line U8 only operates on Saturdays!). The Munich U-Bahn runs from 04:00 until 01:00, and an hour longer at weekends.

When the first U-Bahn lines were built in Berlin and Hamburg, there were also proposals for an underground system in Munich. However, it was not until the late 1930s that a cross-shaped network with two underground routes for an S-Bahn was planned. In 1938, the construction of a north-south route began along Lindwurmstraße between Sendlinger Tor and Goetheplatz. A 590 m long stretch had been excavated by 1941, when work was suspended due to World War II.

During the 1950s, like in many other West German cities, the construction of underground tram routes was examined. This led to a decision in 1963 for a kind of 'Stadtbahn' or 'Premetro' system, with tunnels to be built large enough to later be used by a proper U-Bahn. But just a year later, this decision was revised, and the construction of a full-scale U-Bahn network was approved instead. The first line to be built was the north-south route, which largely corresponded with the S-Bahn tunnel initiated in the 1930s. At the same time, the Deutsche Bundesbahn began to build an east-west S-Bahn tunnel from Hauptbahnhof to Ostbahnhof, the centrepiece of today's S-Bahn network. When Munich was chosen to host the 1972 Summer Olympics, U-Bahn construction was accelerated, and the first section between Kieferngarten and Goetheplatz was opened in 1971 instead of 1975 as initially planned.

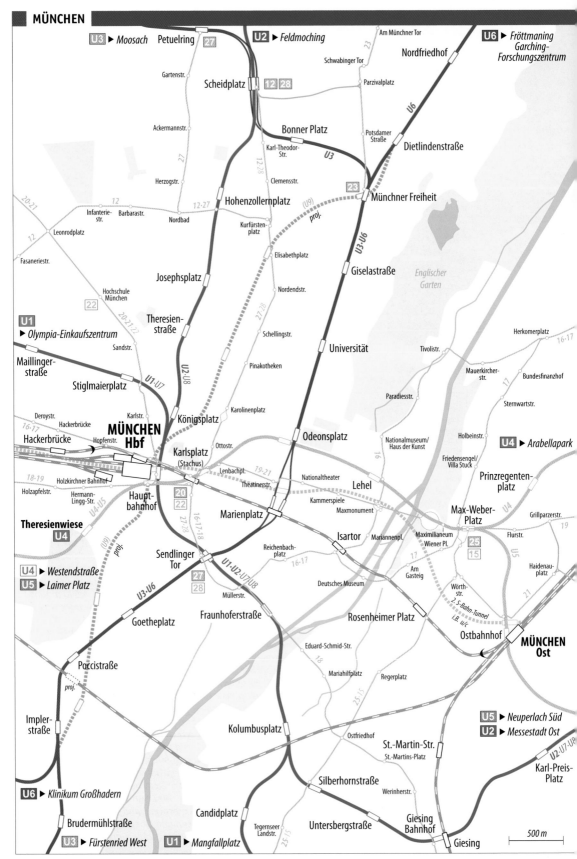

MÜNCHEN

U3 ► *Moosach* Petuelring 27

U2 ► *Feldmoching*

Am Münchner Tor

U6 ► *Fröttmaning*
Garching-
Forschungszentrum

Gartenstr.

Schwabinger Tor

Nordfriedhof

Scheidplatz 12 28

Parzivalplatz

Ackermannstr.

Bonner Platz

Potsdamer
Straße

Dietlindenstraße

Karl-Theodor-
Str.

U3

Herzogstr.

Clemensstr.

23

Hohenzollernplatz

(U9)
proj.

Münchner Freiheit

Infanterie-
str. Barbarastr.

Nordbad

Kurfürsten-
platz

U3·U6

Leonrodplatz

Elisabethplatz

Giselastraße

*Englischer
Garten*

Fasaneriestr.

Josephsplatz

Nordendstr.

Hochschule
München 22

Schellingstr.

Universität

Tivolistr.

Herkomerplatz

16·17

Theresien-
straße

U1
► *Olympia-Einkaufszentrum*

Sandstr.

Pinakotheken

Mauerkircher-
str.

Bundesfinanzhof

Maillinger-
straße

U1·U7

Karolinenplatz

Paradiesstr.

Sternwartstr.

Stiglmaierplatz

U2·U8

Königsplatz

Odeonsplatz

Holbeinstr.

U4 ► *Arabellapark*

Deroystr. Hackerbrücke

Karlstr.

Nationalmuseum/
Haus der Kunst

16

Hackerbrücke Hopfenstr.

**MÜNCHEN
Hbf**

Ottostr.

Friedensengel/
Villa Stuck

Prinzregenten-
platz

18·19 Holzkirchner Bahnhof

Karlsplatz
(Stachus)

Lenbachpl.

19·21

Nationaltheater

Lehel

U4

Grillparzerstr.

19

Holzapfelstr.

Hermann-
Lingg-Str.

**Haupt-
bahnhof**

20
22

Theatinerstr.

Kammerspiele

**Max-Weber-
Platz**

Theresienwiese
U4

(U9)
proj.

27·28 16·17·18

Marienplatz

Maxmonument

Maximilianeum
Wiener Pl.

25
15

Flurstr.

U5

Haidenau-
platz

U4 ► *Westendstraße*
U5 ► *Laimer Platz*

U3·U6

**Sendlinger
Tor** 27

U1·U2·U7·U8

Isartor

Reichenbach-
platz

Mariannenpl.

Am
Gasteig

Wörth-
str.

28

Müllerstr.

Deutsches Museum

16·17

2. S-Bahn-Tunnel
i.B. w/c

Goetheplatz

Fraunhoferstraße

Rosenheimer Platz

Ostbahnhof

**MÜNCHEN
Ost**

Poccistraße

Eduard-Schmid-Str.

18

proj.

Mariahilfplatz

Regerplatz

Impler-
straße

Kolumbusplatz

Ostfriedhof

25·15

U5 ► *Neuperlach Süd*
U2 ► *Messestadt Ost*

St.-Martin-Str.

St.-Martins-Platz

U2·U7·U8

Karl-Preis-
Platz

U6 ► *Klinikum Großhadern*

Silberhornstraße

Werinherstr.

Giesing
Bahnhof

Brudermühlstraße

Candidplatz

Tegernseer
Landstr. 25·15

Untersbergstraße

Giesing

U3 ► *Fürstenried West*   **U1** ► *Mangfallplatz*

500 m

124

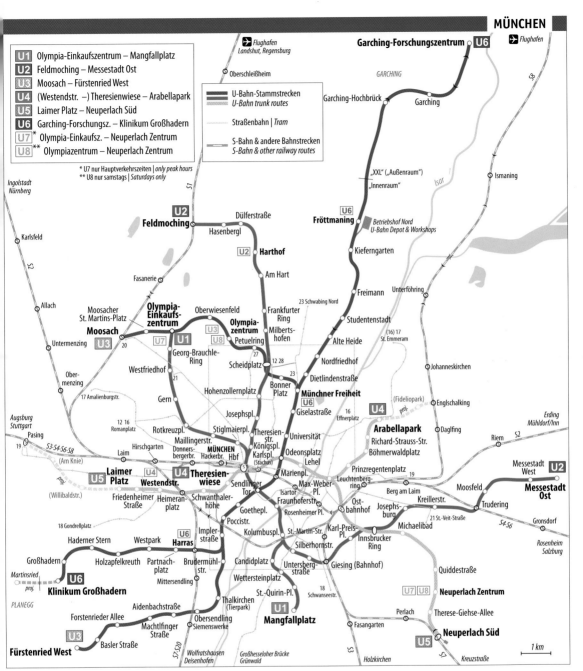

U1 Olympia-Einkaufszentrum – Mangfallplatz
U2 Feldmoching – Messestadt Ost
U3 Moosach – Fürstenried West
U4 (Westendstr. –) Theresienwiese – Arabellapark
U5 Laimer Platz – Neuperlach Süd
U6 Garching-Forschungsz. – Klinikum Großhadern
U7* Olympia-Einkaufsz. – Neuperlach Zentrum
U8** Olympiazentrum – Neuperlach Zentrum

* U7 nur Hauptverkehrszeiten | only peak hours
** U8 nur samstags | Saturdays only

U-Bahn-Stammstrecken
U-Bahn trunk routes

Straßenbahn | *Tram*

S-Bahn & andere Bahnstrecken
S-Bahn & other railway routes

beschlossene Grundnetz weitgehend verwirklicht werden konnte. Die letzte Streckeneröffnung (die Verlängerung der U3 nach Moosach im Dezember 2010) liegt nun allerdings bereits einige Jahre zurück, weitere Ausbauvorhaben (z.B. die U6 nach Martinsried) kommen nur zögerlich voran. Neben einer Westverlängerung der U5 nach Pasing und einer Ostverlängerung der U4 nach Englschalking ist mittelfristig eine neue Nord-Süd-Achse zwischen Implerstraße und Münchner Freiheit (Arbeitstitel „U9") geplant, um die erste Stammstrecke (U3/U6) zu entlasten bzw. diese beiden Linien zu entflechten. Zur Entlastung der ersten Stammstrecke bei Großveranstaltungen in der Allianz Arena nahe des Bahnhofs Fröttmaning wurde der Bau einer Verbindungsspange zwischen U2 (Am Hart) und U6 (Kieferngarten) mit dem Arbeitstitel „U26" vorgeschlagen.

In the following decades, the Munich U-Bahn grew steadily, with most of the routes planned in the 1960s having become a reality. With the last extension already dating back to December 2010 (line U3 to Moosach), other projects (e.g. U6 to Martinsried) have only made very slow progress in recent years. Besides a western U5 extension to Pasing and an eastern U4 extension to Englschalking, a new north-south axis is planned (work title 'U9') to take pressure off the overcrowded first trunk route (U3/U6) and possibly separate these two lines completely. To relieve the first trunk route during mass events at the Allianz Arena near Fröttmaning station, a link between line U2 (Am Hart) and line U6 (Kieferngarten) has been proposed (working title 'U26').

U6 Fröttmaning – B #6558/7558 (U-Bahn-Betriebshof, dahinter Allianz Arena | *metro depot, with Allianz Arena in the background*)

U6 Studentenstadt – C1 #6614

A #6118/7118 | B #6516/7516 | C2 #6707...

🅄-Bahn-Fahrzeuge

Bei der Münchner U-Bahn sind verschiedene Zugtypen im Einsatz, die sich von den älteren U-Bahnen Deutschlands vor allem durch die großzügigere Breite von 2,9 m unterscheiden:

Beim **Typ A** handelt es sich um einen fest gekuppelten Doppeltriebwagen (DT), der weitgehend identisch mit dem Nürnberger DT1 ist. Er wurde von 1967 bis 1983 in sechs Serien hergestellt. Zwölf A-Wagen (6 DT) wurden 2003 an die U-Bahn Nürnberg abgegeben, sind dort aber inzwischen verschrottet worden.

1981 wurden Prototypen des **Typs B** geliefert. Die Auslieferung der Serienfahrzeuge erfolgte schließlich in zwei Serien 1987 und 1995/95. Der Typ B, der seine große Frontscheibe leicht zu erkennen ist, wurde mit Drehstrommotoren ausgerüstet. Die Abmessungen des Typs B entsprechen denen des Typs A, beide Typen können aber nicht im Zugverband fahren. Bei beiden Typen wird ein Langzug aus drei DT gebildet.

Die erste Serie des **Typs C1** wurde im Jahr 2001 geliefert, eine zweite folgte 2005. Für den Wagenbau war Bombardier verantwortlich, für die elektrische Ausrüstung Siemens. Bei diesem 114 m langen sechsteiligen Zug handelt es sich erstmals in München um ein durchgehend begehbares Fahrzeug. Ähnlich konzipiert ist das Nachfolgermodell, der **Typ C2**, der 2014 nun von Siemens als alleinigem Fabrikanten geliefert wurde. Nach jahrelangen Verzögerungen ist der C2 heute auf der U3 und U6 im Einsatz, weitere Linien sollen folgen.

Anders als etwa die U-Bahnen in Berlin und Hamburg wird die Münchner U-Bahn automatisch mit LZB betrieben, d.h. die Aufgaben des Fahrers beschränken sich im Wesentlichen auf das Öffnen und Schließen der Türen und das Betätigen der Startknöpfe. Das Fahren und Bremsen des Zuges übernimmt die automatische Steuerung. Auf den meisten Abschnitten beträgt die Höchstgeschwindigkeit 80 km/h.

Der Münchner U-Bahn steht nur ein einziger Betriebshof auf dem Nordast der U6 in Fröttmaning zur Verfügung. Abstellmöglichkeiten findet man verteilt im ganzen Netz, teils zwischen den Streckengleisen, meist hinter den Endbahnhöfen (die größte in Neuperlach Süd, wo auch ein weiterer Betriebshof in Planung ist).

🅄-Bahn Rolling Stock

The fleet of the Munich U-Bahn consists of various types of train, which differ from those in use on Germany's older metro systems mostly through their more generous width of 2.9 m:

Type A is a permanently coupled 2-car unit (married pair) which is largely identical to Nuremberg's DT1; it was built in six batches between 1967 and 1984. Twelve A cars (6 pairs) were transferred to Nuremberg in 2003, but have meanwhile been scrapped.

In 1981, prototypes of a new car, **type B**, were brought into service. The B cars were then delivered in two batches in 1987 and 1994-95. They can be distinguished by their large continuous front windscreen, and are equipped with asynchronous three-phase motors. The B car dimensions are the same as those of the A car, but the two types cannot operate together in one trainset. A full-length train of each type consists of three 2-car units.

The first batch of **type C1** was delivered in 2001, with a second following in 2005. The car bodies were manufactured by Bombardier, whereas the electronic equipment is from Siemens. Each 114 m train consists of six cars of the walk-through type. The latest car is **type C2**, delivered in 2014, which has a similar set-up but was produced exclusively by Siemens. After some long delays, the C2 trains now finally operate on lines U3 and U6, with more lines to follow soon.

Unlike the U-Bahn systems in Berlin and Hamburg, the Munich U-Bahn is operated in ATO mode (German 'LZB'), just like the Victoria, Central and Jubilee Lines in London. The driver's duties are limited to opening and closing of doors and pressing two start buttons, while driving and braking of the train is handled by the ATO equipment. Most sections allow a maximum speed of 80 km/h.

The Munich U-Bahn has just a single depot and workshop facility, located on the northern leg of line U6 at Fröttmaning. Stabling sidings are spread all over the network, partly between running tracks but mostly beyond termini (the largest facility can be found at Neuperlach Süd, where an additional workshop is being planned).

Fahrzeuge | Rolling Stock

Nummer _Number_	Anzahl _Quantity_	Hersteller _Manufacturer_	Typ _Class_	Länge _Length_	Breite _Width_	Ausgeliefert _Delivered_
6093/7093	1 DT[1]	WMD/MBB	A1 (Prototyp)	37.2 m	2.90 m	1967
6101/7101... 6371/7371	180 DT[1]	Orenstein & Koppel, MBB/MAN	A2.1-A2.6	37.2 m	2.90 m	1970-1983
6501/7501-6535/7535	35 DT[1]	MBB/MAN	B2.7	37.5 m	2.90 m	1988
6551/7551-6572/7572	22 DT[1]	DWA	B2.8	37.5 m	2.90 m	1994-1995
6601/7601-6618/7618	18 (x6)	Siemens/Bombardier	C1.9-C1.10	114.0 m	2.90 m	2001, 2005
6701/7701-6721/7721	21 (x6)	Siemens	C2.11	114.0 m	2.90 m	2014[2]

1) Doppeltriebwagen | _married pairs_
2) erst seit Ende 2016 im regulären Einsatz | _in regular service only since late 2016_

U3/U6 Marienplatz – C2 #6712...

U3 **Moosach – Fürstenried West** | **U6** **Garching-Forschungszentrum – Klinikum Großhadern**

Die **erste Stammstrecke** (blau) der Münchner U-Bahn wird von den Linien U3 und U6 befahren. Auf dem gemeinsamen 5,8 km langen Abschnitt zwischen Münchner Freiheit und Implerstraße verkehrt in den Schwachlastzeiten alle 5 Minuten ein Zug, in den Hauptverkehrszeiten wird der Takt auf 2½ Minuten verdichtet.

Der U-Bahn-Bau begann in München im Februar 1965 im Bereich des U-Bahnhofs Nordfriedhof an der Nord-Süd-Linie, der heutigen U6. Diese Linie folgt weitgehend der in den 1930er Jahren geplanten Nord-Süd-S-Bahn, für die bereits ein 590 m langes Tunnelstück gebaut worden war, welches jetzt in die neue U-Bahn-Linie integriert wurde. Nördlich des U-Bahnhofs Alte Heide verläuft die U6 an der Oberfläche, etwa 300 m als Hochbahn, sonst ebenerdig. Nördlich des ursprünglichen Endbahnhofs Kieferngarten entstand ein großer Betriebshof. Die Tunnel wurden größtenteils in offener Bauweise errichtet, nur unter der Ludwigstraße und für die Querung der Altstadt mitsamt den ca. 70 m voneinander entfernten Bahnsteigröhren des U-Bahnhofs Marienplatz musste eine bergmännische Bauweise (automatischer Schildvortrieb oder Messervortrieb) gewählt werden.

Nachdem München 1966 den Zuschlag für die Olympischen Spiele 1972 erhalten hatte, wurde die erste Linie durch eine Zweiglinie, die sog. „Olympialinie" (U3-Nord), ergänzt. Diese fädelt am zweigleisigen U-Bahnhof Münchner Freiheit kreuzungsfrei von der U6 aus. Der U-Bahnhof Scheidplatz wurde in Hinblick auf eine weitere Linie (heute U2) bereits viergleisig gebaut, um das Umsteigen

Munich's **first trunk route** (blue) is served by lines U3 and U6. The two lines share tracks on a 5.8 km section between Münchner Freiheit and Implerstraße, where there is a train every 5 minutes during off-peak hours and every 2½ minutes during peak hours.

U-Bahn construction began in February 1965 near Nordfriedhof station on the north-south line, today's U6. This line largely coincides with the north-south S-Bahn initiated in the 1930s. A 590 m tunnel section constructed at that time was integrated into the new U-Bahn line. North of Alte Heide station, line U6 runs on the surface, with some 300 m elevated and the rest at grade. A large depot and maintenance yard was established to the north of the original terminus Kieferngarten. Most tunnel sections were built by cut-and-cover; along Ludwigstraße and through the old town, including the respective platform tunnels built approx. 70 m apart at Marienplatz, subterranean techniques such as tunnel boring machines and manual shields had to be used.

When in 1966 Munich was chosen to host the 1972 Olympic Summer Games, the so-called 'Olympia line' branch (U3-north), was added to the initial line. It diverges from line U6 at the 4-track Münchner Freiheit station in a grade-separated junction. Scheidplatz station was also built with four tracks in provision for cross-platform interchange with another line (now U2). With the first 12 km section of line U6 having already opened in 1971, line U3 was also brought into service in time for the 1972 Olympics. At the same time, the

U3   Oberwiesenfeld

im Richtungsbetrieb zu ermöglichen. Nachdem das erste 12 km lange Teilstück der U6 bereits 1971 in Betrieb genommen worden war, konnte auch die U3 pünktlich zu den Olympischen Sommerspielen 1972 eröffnet werden. Gleichzeitig begann die S-Bahn durch den Innenstadttunnel vom Hauptbahnhof zum Ostbahnhof zu fahren. Drei Jahre später folgte die Verlängerung der U3/U6 im Süden bis zum S-Bahnhof Harras. Der U-Bahnhof Implerstraße wurde als zukünftiger Verzweigungsbahnhof dreigleisig ausgeführt.

S-Bahn began running through the city tunnel between Hauptbahnhof and Ostbahnhof. Three years later, the combined line U3/U6 was extended to the S-Bahn station Harras; intended to be a future junction, Implerstraße station was built with three tracks. The intermediate Poccistraße station was laboriously added a few years later. For the International Garden Show held in 1983, both lines were further extended to Holzapfelkreuth. Since 1989, line U3 has been serving its own southern

U3	21.2 km
	25 Bahnhöfe	*stations*

U6	27.4 km (ca. 8.5 km oberirdisch | *above ground*)
	26 Bahnhöfe	*stations* (5 oberirdisch | *above ground*)

5.8 km (9 U-Bahnhöfe | *stations*) gemeinsam | *shared*

19-10-1971 Goetheplatz – Kieferngarten
08-05-1972 Münchner Freiheit – Olympiazentrum
22-11-1975 Goetheplatz – Harras
28-05-1978 + Poccistraße
16-04-1983 Harras – Holzapfelkreuth
28-10-1989 Implerstraße – Forstenrieder Allee
01-06-1991 Forstenrieder Allee – Fürstenried West
22-05-1993 Holzapfelkreuth – Klinikum Großhadern
03-06-1994 Kieferngarten – Fröttmaning
28-10-1995 Fröttmaning – Garching-Hochbrück
14-10-2006 Garching-Hochbrück – Gar.-Forschungszentrum
28-10-2007 Olympiazentrum – Olympia-Einkaufszentrum
12-12-2010 Olympia-Einkaufszentrum – Moosach

U6   Nordfriedhof – A #6174/7174

U6 Garching-Forschungszentrum – A #6317/7317

Die Station Poccistraße wurde wenig später aufwändig in die bestehende Strecke eingebaut. Zur Internationalen Gartenbauausstellung wurden beide Linien 1983 bis Holzapfelkreuth verlängert. Seit 1989 bedient die U3 auch im Süden einen eigenen Ast, der 1991 den derzeitigen Endpunkt Fürstenried West erreichte. Die U6 hingegen wurde 1993 bis Klinikum Großhadern verlängert.

Nachdem die südlichen Äste fertiggestellt worden waren, begann die U6 nach Norden zu wachsen, zunächst 1994 bis Fröttmaning, wo neben dem Betriebshof eine große Park&Ride-Anlage eingerichtet wurde, und schließlich 1995 bis Garching-Hochbrück. Die Strecke in die Nachbarstadt verläuft durch weitgehend unbebautes Gebiet und endete 11 Jahre am westlichen Rand von Garching. Erst 2006 folgte die unterirdische Verlängerung ins Stadtzentrum sowie eine teilweise oberirdische Strecke

branch, reaching its present terminus Fürstenried West in 1991. Two years later, line U6 was extended to Klinikum Großhadern.

Once the southern branches had been completed, line U6 began to grow northwards. In 1994, Fröttmaning station opened with a large park & ride facility next to the depot, and in 1995 line U6 reached Garching-Hochbrück. The route into the neighbouring municipality runs mostly through uninhabited areas, and for 11 years trains terminated at the western edge of Garching. In 2006, the line was extended underground through the Garching town centre, and then partly on the surface to the growing Garching research centre. Most recently, line U3 was extended in two stages at its northern end, reaching its terminus at Moosach S-Bahn station in 2010.

U6 Fröttmaning – A #6366/7366

U6 Partnachplatz – A #6354/7354

U3 Olympia-Einkaufszentrum

zum Endbahnhof Garching-Forschungszentrum. Auch die Linie U3 wurde schließlich in zwei Etappen nach Norden verlängert und erreichte 2010 den S-Bahnhof Moosach.

Im Vorfeld der Fußball-WM 2006 wurde der U-Bhf Marienplatz umgebaut, indem parallel zu den Bahnsteigen zwei Tunnelröhren mit mehreren Durchschlägen zu den Bahnsteigen errichtet wurden, um die Fahrgastströme besser leiten zu können. Gleichzeitig wurde auch der Bahnhof Fröttmaning, der unweit der neuen Allianz Arena liegt, viergleisig mit zwei Mittelbahnsteigen etwa 50 m weiter nördlich neu errichtet.

Für die U6 ist seit Langem eine ca. 1,3 km lange Verlängerung zu den Forschungseinrichtungen in Martinsried geplant. Da diese in der Nachbargemeinde Planegg liegen, kam es lange zu keiner Finanzierungsvereinbarung, so dass frühestens 2020 mit dem Baubeginn gerechnet wird.

In preparation for the FIFA World Cup 2006, the platforms at Marienplatz station were expanded with two parallel relief tunnels to improve passenger flow. At the same time, Fröttmaning station, located near the new Allianz Arena, was also rebuilt with four tracks some 50 m north of its original location.

For line U6, a 1.3 km extension from Klinikum Großhadern to the research centres at Martinsried has been planned for a long time, but the fact that this area belongs to the neighbouring municipality of Planegg has complicated the negotiations for a financing deal. The start of construction has been set back at least until 2020.

U3 Aidenbachstraße – C2 #6702...

U3 Moosach – C1 #6602...

U2 Am Hart – C1 #6612...

U1 Olympia-Einkaufszentrum – Mangfallplatz   U2 Feldmoching – Messestadt Ost

Die **zweite Stammstrecke** (rot) der Münchner U-Bahn wird von den Linien U1 und U2 befahren. Während die U2 ganztags zwischen Messestadt Ost und Harthof im 5-Minuten-Takt (nach Feldmoching alle 10 Minuten) verkehrt, herrscht auf der U1 ganztags ein 10-Minuten-Takt, der jedoch auf dem nördlichen Ast wochentags außer am späten Vormittag meist durch die U7 verdichtet wird. Die U8 verstärkt das Angebot zwischen Neuperlach und Olympiazentrum nur samstags.

Der Baubeginn der zweiten Stammstrecke war 1971, nachdem das ursprünglich vier Stammstrecken umfassende Grundnetz auf drei gestrafft worden war. Da die Linienbezeichnungen von den traditionellen Straßenbahnstrecken übernommen wurden, ging die zweite Stammstrecke mit der Bezeichnung U8 in Betrieb, denn die Straßenbahnlinie 8 führte einst vom Stadtzentrum Richtung Hasenbergl. Der Bau der fast vollkommen unterirdischen Strecke erfolgte teilweise in offener Bauweise, der Anteil an bergmännisch aufgefahrenen Strecken (sowohl NÖT als auch Schildvortrieb) hatte sich im Vergleich zur ersten Stammstrecke jedoch bereits wesentlich erhöht. 1980 wurde die U8 in einem Stück von Neuperlach Süd bis Scheidplatz (16 km) und weiter auf der bestehenden Strecke bis Olympiazentrum (bis 1993) in Betrieb genommen. Der südliche Endpunkt liegt auf einem Viadukt und ermöglicht vom Ankunftsbahnsteig bahnsteiggleiches Umsteigen zur hier eingleisigen S-Bahn Richtung Kreuzstraße. In Vorbereitung auf eine Einfädelung der dritten Stammstrecke war der U-Bahnhof Innsbrucker Ring von Anfang an viergleisig,

*Munich's **second trunk route** (red) is served by lines U1 and U2. During daytime hours, line U2 operates every 5 minutes between Messestadt Ost and Harthof (every 10 minutes to Feldmoching), while line U1 has an all-day 10-minute headway; however, from Monday to Friday it is reinforced by line U7 on its northern leg for most of the day, except morning off-peak. Line U8 only runs on Saturdays to provide a direct link between Neuperlach and Olympiazentrum.*

The construction of the second trunk route began in 1971, once the initially planned 4-line network had been reduced to three trunk routes. As the line numbers were taken over from the traditional tramway routes, the second trunk route opened as line U8 (tram line 8 used to run from the city centre to Hasenbergl). Construction was partly achieved by cut-and-cover, but the proportion of other techniques used (both NATM and TBMs) grew considerably compared to the first route. In 1980, the complete 16 km route from Neuperlach Süd to Scheidplatz was opened, with line U8 continuing over U3 tracks to Olympiazentrum until 1993. The southern terminus lies on a viaduct, with cross-platform interchange with the single-track S-Bahn to Kreuzstraße available from the arrival platform. To provide convenient interchange with the third trunk route, Innsbrucker Ring station was built with four tracks from the start, whereas the junction at Kolumbusplatz only has three tracks. In front of the central railway station, another 4-track station was built, which has functioned as a junction for the U1 branch

U1/U2 Fraunhoferstraße

U1/U2 Hauptbahnhof

während der Verzweigungsbahnhof Kolumbusplatz nur dreigleisig ausgeführt wurde. Vor dem Hauptbahnhof entstand ebenfalls eine viergleisige Station, hier fädelt seit 1983 die U1 Richtung Rotkreuzplatz aus. Diese Linie verkehrte bis 1997 bis Innsbrucker Ring, zeitweise auch bis Neuperlach Süd.

In den 1990er Jahren wurde die U8 in zwei Etappen nach Norden verlängert, zunächst 1993 bis Dülferstraße (nach Umbenennung in U2) und schließlich 1996 zum S-Bahnhof Feldmoching. Anschließend folgte der südliche Ast der U1 zum Mangfallplatz (1997) und ein erstes Teilstück der nördlichen Verlängerung bis Westfriedhof (1998). In der Zwischenzeit war etwa 40 km nördlich von München ein neuer Flughafen gebaut worden, während auf dem Gelände des alten Flughafens in Riem das neue Messezentrum entstand, das rasch an das Schnellbahnnetz angeschlossen werden sollte. Seit 1999 fährt die U2 nun ab Innsbrucker Ring zur Messestadt Ost statt nach Neuperlach Süd; der Südast war bereits seit 1988 auch von der Linie U5 bedient worden.

Im Jahr 2004 erreichte die U1 schließlich ihren derzeitigen nördlichen Endpunkt Olympia-Einkaufszentrum. Vorerst sind keine weiteren Verlängerungen der zweiten Stammstrecke geplant.

towards Rotkreuzplatz since 1983. Until 1997, line U1 used to run to Innsbrucker Ring, and temporarily even to Neuperlach Süd.

During the 1990s, line U8 was extended in two stages towards the north, in 1993 to Dülferstraße (after having been renamed line U2), and finally in 1996 to the S-Bahn station Feldmoching. After that, the southern U1 leg to Mangfallplatz opened in 1997, followed by the first section of a northern extension to Westfriedhof in 1998. In the meantime, a new airport had been built some 40 km north of Munich, and the old airport grounds were converted into the new trade fair centre, which had to be linked to the rapid transit network as soon as possible. In 1999, line U2 began running from Innsbrucker Ring to Messestadt Ost instead of Neuperlach Süd, the southern branch having also been served by line U5 since 1988.

By 2004, line U1 had reached its present northern terminus at Olympia-Einkaufszentrum, and no further extensions are currently planned for the second trunk route.

| **U1** | 12.2 km
15 Bahnhöfe | stations |
| **U2** | 24.4 km
27 Bahnhöfe | stations |

2.8 km (4 Bahnhöfe | stations) gemeinsam | shared

18-10-1980 [Olympiazentrum –] Scheidplatz – Innsbrucker
           Ring [–Neuperlach Süd*]
28-05-1983 Hauptbahnhof – Rotkreuzplatz
20-11-1993 Scheidplatz – Dülferstraße
26-10-1996 Dülferstraße – Feldmoching
08-11-1997 Kolumbusplatz – Mangfallplatz
24-05-1998 Rotkreuzplatz – Westfriedhof
29-05-1999 Innsbrucker Ring – Messestadt Ost
18-10-2003 Westfriedhof – Georg-Brauchle-Ring
31-10-2004 Georg-Brauchle-Ring – Olympia-Einkaufszentrum

* Innsbrucker Ring – Neuperlach Süd:
  1980-1988 U8, 1988-1999 U2/U5, 1999- U5

U1 Wettersteinplatz – B #6565/7565

U1 Rotkreuzplatz

U1 St.-Quirin-Platz

U1 Georg-Brauchle-Ring

U1 Mangfallplatz – B #6164/7164

U1 Westfriedhof

U2 **Josephsburg** – A #6365/7365

U2 **Hohenzollernplatz**

U1/U2 **Kolumbusplatz** – C1 #6615...

U2 **Messestadt West** – A #6362/7362

U2 **Dülferstraße**

U4/U5 Westendstraße – C1 #6609...

U4 Westendstraße – Arabellapark   U5 Laimer Platz – Neuperlach Süd

Die **dritte Stammstrecke** (gelb) der Münchner U-Bahn wird von den Linien U4 und U5 befahren, die sich nur im Osten verzweigen. Die U5 verkehrt tagsüber im 5-Minuten-Takt, lediglich am späten Vormittag herrscht ein 10-Minuten-Takt. Die U4 fährt im Allgemeinen nur zwischen Arabellapark und Theresienwiese, in der Hauptverkehrszeit alle fünf, sonst alle zehn Minuten; nur zu gewissen Schwachlastzeiten verstärkt sie die U5 bis Westendstraße. Besondere Bedeutung bekommt die U4/U5 während des Oktoberfests, das jährlich gegen Ende September auf der Theresienwiese abgehalten wird.

Die dritte Stammstrecke trug den Planungstitel U9/5, da die Relation Westend – Max-Weber-Platz weitgehend der früheren Straßenbahnlinie 9 entspricht. Der Ast zum Arabellapark erhielt jedoch schließlich die Bezeichnung U4. Bis auf den Abschnitt Innsbrucker Ring – Neuperlach Süd von 1980, der von der zweiten Stammstrecke übernommen wurde (daher bis heute rote Beschilderung), konnten die Strecken der U4/U5 in mehreren Etappen innerhalb von nur vier Jahren eröffnet werden. Von 1988 bis 1999 fuhr die U5 gemeinsam mit der U2 vom Innsbrucker Ring nach Neuperlach Süd. Bis auf den westlichen Ast wurde beim Bau der U4/U5 meist die NÖT (Neue Österreichische Tunnelbauweise) angewandt, da die Linie unter den bestehenden Strecken angelegt werden musste. Dazu gehören die innerstädtischen U-Bahnhöfe Karlsplatz (Stachus), Odeonsplatz und Lehel. Der Verzweigungsbahnhof Max-Weber-Platz wurde dreigleisig gebaut.

*The **third trunk route** (yellow) is served by lines U4 and U5, which have their own branches only in the eastern part of the city. During daytime hours, line U5 operates every 5 minutes, except during the morning off-peak hours when it runs every 10 minutes. Line U4 normally just serves the section between Arabellapark and Theresienwiese, every 5 minutes during peak hours and every 10 minutes off-peak; it is only extended to Westendstraße during off-peak hours to reinforce line U5. The U4/U5 trunk route gets especially busy during the 'Oktoberfest', which is held every year towards the end of September on the festival grounds at Theresienwiese.*

The third trunk route was planned as line U9/5 because the route from Westend to Max-Weber-Platz basically corresponds to the former tram line 9; in the end, however, the branch to Arabellapark was designated 'U4'. Except for the 1980 Innsbrucker Ring – Neuperlach Süd section, which was taken over from the second trunk route (which explains the red signage still in place!), lines U4/U5 opened in various stages within just four years. From 1988 until 1999, line U5 shared the former U2 route from Innsbrucker Ring to Neuperlach Süd. Except for the western section, route U4/U5 was mostly built using the NATM (New Austrian Tunnelling Method) as it had to be aligned at great depth below several existing lines; this includes the stations in the city centre, Karlsplatz (Stachus), Odeonsplatz and Lehel. Max-Weber-Platz station was again laid out as a 3-track junction.

U4/U5 Karlsplatz (Stachus) – A #6112/7112

Unter dem Oktoberfestgelände liegt ein ca. 2 km langes Verbindungsgleis inkl. dreigleisigem Betriebsbahnhof, das die dritte Stammstrecke auch direkt an die erste anbindet (Schwanthalerhöhe – Implerstraße).

Von Anfang an war eine Verlängerung der U4 von Arabellapark bis zum S-Bahnhof Englschalking mit bis zu zwei Zwischenstationen geplant. Neuere optimistische Vorschläge beinhalten sogar eine Weiterführung zur Messestadt in Riem.

Im Westen ist seit den 1970er Jahren eine ca. 3,6 km lange Verlängerung bis zum S-Bahnhof Pasing mit zwei Zwischenstationen (Willibaldstraße und Am Knie) geplant. Aufgrund der parallel verlaufenden S-Bahn (inkl. zukünftige 2. S-Bahn-Stammstrecke) und Straßenbahn wurde dieses Projekt lange zurückgestellt, doch schließlich wurde 2018 das Planfeststellungsverfahren eingeleitet, so dass die Strecke bis Mitte der 2020er Jahre Wirklichkeit werden könnte. Dabei wird die Option eines Abzweigs westlich der Station Willibaldstraße berücksichtigt. Ab Pasing besteht langfristig die Möglichkeit einer Weiterführung nach Freiham.

Underneath the Oktoberfest terrain there is a 2 km non-passenger service track that links the third trunk route directly to the first (Schwanthalerhöhe – Implerstraße); on this link, there is a 3-track workshop.

From the beginning, an eastern U4 extension has been planned from Arabellapark to the S-Bahn station Englschalking, with up to two intermediate stations. More recent optimistic proposals even consider a continuation to Messestadt Riem.

At the western end, a 3.6 km extension to Pasing with intermediate stations at Willibaldstraße and Am Knie has been planned since the 1970s. Due to the parallel tram and S-Bahn routes (including the future second S-Bahn trunk route), this extension was postponed time and again until 2018 when the official planning approval procedure was finally launched. The extension could thus become a reality by the mid-2020s. The project includes an option for a future branch west of Willibaldstraße. In the long term, line U5 could be extended from Pasing to Freiham.

U4   9.2 km
     13 Bahnhöfe | *stations*

U5   15.4 km (0.3 km oberirdisch | *above ground*)
     18 Bahnhöfe | *stations* (1 oberirdisch | *above ground*)

6.3 km (9 U-Bahnhöfe | *stations*) gemeinsam | *shared*

18-10-1980 [Olympiazentrum –] Innsbrucker Ring –
           Neuperlach Süd*
10-03-1984 Westendstraße – Karlsplatz
01-03-1986 Karlsplatz – Odeonsplatz
24-03-1988 Westendstraße – Laimer Platz
27-10-1988 Odeonsplatz – Innsbrucker Ring [– Neuperlach S.]
           Max-Weber-Platz – Arabellapark

* Innsbrucker Ring – Neuperlach Süd:
   1980-1988 U8, 1988-1999 U2/U5, 1999- U5

U4/U5 Heimeranplatz

U4 Böhmerwaldplatz – A #6102/7102

U4/U5 Theresienwiese

U4 Prinzregentenplatz

U4/U5 Theresienwiese

U5 Laimer Platz – C1 #6609

U4/U5 Lehel – C1 #6609...

U4/U5 & S Karlsplatz (Stachus)

U5 Michaelibad

U5 Neuperlach Zentrum

U5 Neuperlach Süd – A #6140/7140

U3 Nordwestring – DT3F #771/772 & DT3 #745/746

NÜRNBERG

Die fränkische Metropole Nürnberg hat rund 520.000 Einwohner und ist somit die zweitgrößte Stadt Bayerns. Zusammen mit den direkt angrenzenden Städten Fürth, das auch von der U-Bahn erschlossen wird, und Stein steigt die Einwohnerzahl auf ca. 700.000.

Die Nürnberger U-Bahn wird wie die Straßenbahn und die städtischen Busse von der *Verkehrs-Aktiengesellschaft Nürnberg* (VAG) betrieben, die Partner im *Verkehrsverbund Großraum Nürnberg* (VGN) ist. Tariflich bildet Nürnberg zusammen mit Fürth und Stein die Preisstufe A (Tageskarte 8,30 €). Die U-Bahn verkehrt täglich von ca. 5:00 bis ca. 1:00, es wird kein verlängerter Betrieb an Wochenenden angeboten.

Seit Inbetriebnahme der ersten Teilstrecke im März 1972 ist das Nürnberger U-Bahn-Netz, das derzeit aus drei Linien besteht, stetig gewachsen und erreicht in wenigen Jahren eine Gesamtlänge von rund 40 km. Seit 2008 besitzt Nürnberg mit der Linie U3 die erste und bislang einzige vollautomatische, fahrerlose Metro in Deutschland; die Linie U2 wurde anschließend entsprechend umgerüstet.

Anfang der 1960er Jahre plante Nürnberg wie viele vergleichbare Städte der alten Bundesrepublik eine U-Straßenbahn (U-Strab), um die durch den wachsenden Individualverkehr behinderten Straßenbahnen zu beschleunigen und gleichzeitig an der Oberfläche mehr Platz für die Autos zu schaffen. Als erstes sollte eine Schnellstraßenbahn in den neuen Stadtteil Langwasser im Südosten von Nürnberg gebaut werden. Im Zuge des Ausbaus des Straßennetzes sollte auch ein Teilstück der städteverbindenden Straßenbahnstrecke zwischen Nürnberg und Fürth

Nuremberg has approximately 520,000 inhabitants and is thus the second largest city in the state of Bavaria. Together with the neighbouring towns of Fürth, also served by the U-Bahn, and Stein, the overall population comes to approx. 700,000.

Like the tramway system and urban buses, the U-Bahn is operated by the VAG (Verkehrs-Aktiengesellschaft Nürnberg), which is integrated into the VGN fare system (Verkehrsverbund Großraum Nürnberg). As far as fares are concerned, Nuremberg is within zone A, which also comprises Fürth and Stein (day pass €8.30). The U-Bahn operates from 05:00 until 01:00, with no extended service offered on weekends.

Since Nuremberg opened its first U-Bahn section in March 1972, the network has grown steadily. Now comprising three lines, in a few years it will reach a total length of 40 km. Since 2008, when line U3 opened, Nuremberg has boasted Germany's first and as yet only fully automatic driverless metro system; line U2 was subsequently upgraded to driverless operation.

In the early 1960s, like many West German cities of a similar size, Nuremberg planned the construction of an underground tram system (U-Strab) to increase travel speed for trams at a time when the private car was invading the city streets; in many cases, the tunnels were actually intended to make room at the surface for motorised traffic. The first route to be built in Nuremberg was a rapid tram line to the new district of Langwasser in the southeast of the city. At the same time, the existing link between Nuremberg and Fürth was to be partly

U2 Ziegelstein – DT3 #717/718

U1 Muggenhof – DT1 #477/478

auf eine Hochbahntrasse verlegt werden. Etwa zur selben Zeit plante man in der bayerischen Landeshauptstadt München ebenfalls eine unterirdische Straßenbahn, die jedoch in Hinblick auf einen späteren Ausbau von Anfang an Tunnelstrecken nach U-Bahn-Parametern erhalten sollte. Doch bereits 1964 fiel in beiden Städten die Entscheidung, eine klassische U-Bahn nach Berliner Vorbild zu bauen. In Nürnberg wurde ein Netz mit drei Stammstrecken, die eventuell später Verzweigungen erhalten sollten, verabschiedet.

Der U-Bahn-Bau begann in Nürnberg im März 1967 am südlichen Abschnitt der Linie U1. Der Bau der ersten beiden Stammstrecken wurde bis zur Jahrtausendwende weitgehend nach der ursprünglichen Konzeption vollendet. Die dritte Stammstrecke, wie sie 1964 vorgeschlagen worden war, wird wohl mittelfristig nicht mehr umgesetzt werden. Sie sollte aus dem Bereich Nordwestring über Plärrer, Steinbühl, Aufseßplatz und Dutzendteich zum Tiergarten führen. Stattdessen bekam die Linie U2 zwei Äste, die im Jahr 2008 als U3 in Betrieb gingen. Diese neue Linie plante man von Anfang an als fahrerlose, vollautomatische U-Bahn, anschließend wurde auch die bestehende Linie U2 auf automatischen Betrieb umgerüstet. Dabei wurde anfangs ein Jahr lang der gemischte Betrieb von herkömmlichen und fahrerlosen U-Bahn-Zügen getestet. Die Linie U1 wird vorerst weiterhin manuell mit Lichtsignalen betrieben. Nach mehreren Verlängerungen wird die U3 Mitte der 2020er Jahre ihre vorläufige Gesamtlänge von rund 12 km erreichen; ein Weiterbau Richtung Zirndorf und Oberasbach im Landkreis Fürth, etwa mit teilweise eingleisigen Ästen, ist eine Option für die Zukunft. Die U1 sollte einst in Fürth um eine Station nach Westen bis Kieselbühl verlängert werden, was bisher jedoch mangels geplanter Gewerbeansiedlung nicht verwirklicht wurde. Auch eine südliche Verlängerung der Linie U2 in die Nachbarstadt Stein wird immer wieder vorgeschlagen.

re-aligned on a viaduct to avoid a road junction with a new dual carriageway. Also at that time, the Bavarian capital city Munich was planning an underground tram network, with tunnels built large enough to be converted later to full metro standard. However by 1964, both cities had already decided to construct a Berlin-style U-Bahn right from the start. In Nuremberg, a network of three trunk routes with some possible later branches was approved by the city council.

Construction started on the southern part of line U1 in March 1967. By the turn of the millennium, the first two trunk routes as designed in the 1960s had largely been completed, but the third one is not likely to materialise in the foreseeable future; this line was meant to run from the Nordwestring area via Plärrer, Steinbühl, Aufseßplatz and Dutzendteich to Tiergarten. Instead, two branches off line U2 were built and opened in 2008 as line U3. This line was designed as an automatic driverless metro from the start, while the existing U2 was converted to automatic operation. During the first year of service, the mixed operation of driverless and manually driven trains was tested on the shared section. Line U1, however, remains manually driven with conventional colour light signals. After several extensions, line U3 will have reached its full length of approximately 12 km by the mid-2020s, although the line may later be extended, partly single-track, to Zirndorf and Oberasbach in the county of Fürth. Line U1 was once supposed to continue one station from Hardhöhe to Kieselbühl, but the project was shelved due to a lack of industrial and commercial development in the area. A line U2 extension from Röthenbach to the neighbouring town of Stein has repeatedly been proposed.

U2 Wöhrder Wiese – DT3F #785/786

U-Bahn

37.6 km* (+2.1 km**) (~5.4 km oberirdisch | *above ground*)
51* (+2**) Bahnhöfe | *stations* (44 Ⓤ)

* inkl. U3 bis Großreuth (2020) | *incl. U3 to Großreuth (2020)*
** im Bau ab 2019 bis 2024 | *under construction from 2019 to 2024*

U1 Messe – DT2 #543/544

U-Bahn-Fahrzeuge

Trotz weitgehender Anwendung der Münchner Parameter beim Bau der U-Bahn sind die Nürnberger Bahnsteige mit einer Länge von 90 m nur für 4-Wagen-Züge ausgelegt. Diese fahren mit 750 V Gleichstrom, der aus einer von unten bestrichenen seitlichen Stromschiene genommen wird. Derzeit sind drei Fahrzeugtypen im Einsatz:

Seit 1972 verkehrt in Nürnberg der **DT1**; dieser ist weitgehend baugleich mit dem Münchner Typ A, so dass die beiden Fahrzeuge bei verschiedenen Anlässen in der jeweils anderen Stadt aushelfen konnten. Bis 1984 wurden insgesamt 64 Doppeltriebwagen des Typs DT1 ausgeliefert. Im Jahr 2003 erwarb die VAG sechs weitere Fahrzeuge von der Münchner U-Bahn, weitere vier wurden 2006 ausgeliehen. Die Münchner A-Züge behielten ihren blauen Anstrich, sind jedoch mittlerweile bereits ausgemustert worden.

1993 wurden 12 Doppeltriebwagen vom Typ **DT2** beschafft. Äußerlich sind diese vor allem durch die ungeteilte Frontscheibe zu unterscheiden. Nach Umrüstung der U2 auf fahrerlosen Betrieb sind die DT1- und DT2-Züge ausschließlich auf der U1 im Einsatz.

U-Bahn Rolling Stock

Despite largely following the parameters developed for the Munich U-Bahn, the platforms in Nuremberg are only 90 m long and can thus only accommodate 4-car trains. Power is supplied by a third rail, with collection from the underside of the rail. The fleet presently consists of three types:

*The **DT1**, which is largely identical to Munich's type A car, has been in service since 1972. On various occasions, Munich cars have been in service in Nuremberg and vice versa. By 1984, a total of 64 2-car units of class DT1 had been delivered. In 2003, the VAG acquired six units from the Munich U-Bahn, and another four were leased in 2006. The ex-Munich cars preserved their blue livery, but they have all been withdrawn from service.*

*In 1993, twelve 2-car units of class **DT2** were added to the fleet. From the outside, they can be identified by their continuous front windscreen. Since line U2 was upgraded to driverless operation, all the DT1 and DT2 trains have been in service exclusively on line U1.*

U Fahrzeuge | Rolling Stock

Nummer Number	Anzahl Quantity	Hersteller Manufacturer	Typ Class	Länge Length	Breite Width	Ausgeliefert Delivered
433/434...527/528	42 DT*	MAN/AEG/Siemens	DT1	37.2 m	2.90 m	1970-1984
529/530-551/552	12 DT*	Siemens/Adtranz	DT2	37.5 m	2.90 m	1993
701/702-763/764	32 DT*	Siemens	DT3 fahrerlos | driverless	38.4 m	2.90 m	2004-2007
765/766-791/792	14 DT*	Siemens	DT3F	38.4 m	2.90 m	2010-2011
bestellt | ordered 12/2015 & 11/2018	21+6 (x4)	Siemens	G1	75.4 m	2.90 m	2019-2021

* Doppeltriebwagen | married pairs

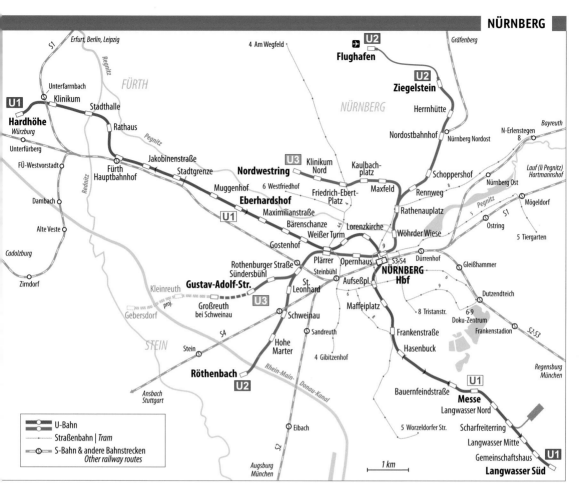

Bereits 2004 wurden von Siemens die ersten Fahrzeuge des Typs **DT3** für den vollautomatischen Betrieb auf den Linien U2 und U3 geliefert. Sie verfügen nur über ein Notfahrpult, aber nicht über eine Fahrerkabine. Außerdem sind beide Wagen erstmals durchgängig begehbar. Ab 2010 folgten weitere Fahrzeuge desselben Typs für den Einsatz auf der U1, diese sind demnach mit Fahrerkabinen ausgerüstet und tragen entsprechend die Bezeichnung DT3F.

Als Ersatz für die älteren Wagen auf der U1 wurden 2015 vorerst 21 4-Wagen-Züge des Typs **G1** bei Siemens bestellt. Diese durchgehend begehbaren <u>G</u>elenk-Züge sollen ab Ende 2019 zum Einsatz kommen.

In 2004, Siemens delivered the first vehicles of class **DT3**, which are designed for driverless operation on lines U2 and U3. Instead of a driver's cab, these cars are only equipped with an emergency driving console. The two permanently coupled cars are connected via a gangway. From 2010, more cars of the same type but now equipped with driver's cabs were delivered for line U1 (DT3F).

In order to replace the oldest cars on line U1, a total of 21 four-car sets of class **G1** were ordered from Siemens in 2015. All four cars will be interconnected via gangways, allowing free movement between carriages. The first train is scheduled to enter revenue service in late 2019.

U1 Scharfreiterring – DT1 #479/480 + 453/454

Siemens Wien – G1 (11/2018)

(Foto: www.siemens.com/presse)

U1 Frankenstraße

U1 Fürth Hardhöhe – Langwasser Süd

Im Dezember 2007 erreichte die Linie U1 mit der Verlängerung bis Fürth Hardhöhe eine Gesamtlänge von 18,5 km. Die U1 verbindet Nürnberg mit der Nachbarstadt Fürth, wo sieben der 27 U-Bahnhöfe liegen. Während die U2 und U3 komplett unterirdisch verlaufen, weist die U1 drei oberirdische Abschnitte auf. Die U1 verkehrt tagsüber meist alle 5 Minuten (vormittags alle 6-7 Minuten), an Schultagen kommen zeitweise Verstärkerzüge zwischen Eberhardshof und Messe (früher U11) zum Einsatz.

Zur Anbindung des damals neuen Stadtteils Langwasser sollte erst eine Schnellstraßenbahn gebaut werden. Nachdem man sich 1964 für eine klassische U-Bahn entschieden hatte, begannen 1967 die Bauarbeiten am südlichen Abschnitt, wo die U-Bahn teilweise unterirdisch, teilweise aber auch im Mittelstreifen einer Hauptstraße, der Otto-Bärnreuther-Straße, verläuft. Der Betriebshof wurde auch in Langwasser angesiedelt. Nach Inbetriebnahme des ersten Teilstücks im Jahr 1972 erreichte die U1 in mehreren Etappen bis 1978 das Stadtzentrum. Sie wurde anschließend Richtung Westen verlängert, wo sie 1982 an die Hochbahnstrecke anschloss, die im Vorlaufbetrieb bereits seit 1970 von Straßenbahnen befahren worden war.

Since December 2007, when the extension to Fürth Hardhöhe opened, line U1 has had a total length of 18.5 km. Line U1 links Nuremberg to the neighbouring town of Fürth, where seven of the line's 27 stations are located. Whereas lines U2 and U3 run entirely underground, line U1 has three surface sections. During daytime hours, line U1 mostly operates every 5 minutes (morning off-peak every 6-7 minutes), while on school days, extra trains are in service at certain times between Eberhardshof and Messe (formerly labelled U11).

To provide a fast link from the city centre to the new district of Langwasser, a rapid tram route was initially planned. After the decision for a full-scale U-Bahn had been taken in 1964, construction started on the southern part in 1967, where the U-Bahn runs partly underground and partly above ground on a grade-separated right-of-way in the middle strip of a major road (Otto-Bärnreuther-Straße). The U-Bahn's depot and maintenance yard was also established at Langwasser. The first section opened in 1972, and advancing stage by stage, line U1 had reached the city centre by 1978. It was then extended towards the west, where in 1982 it was con-

U1	18.5 km (5.4 km oberirdisch | *above ground*)
	27 Bahnhöfe | *stations* (7 oberird. | *above ground*)

01-03-1972	Langwasser Süd – Bauernfeindstraße
16-04-1974	Bauernfeindstraße – Frankenstraße
23-09-1975	Frankenstraße – Aufseßplatz
28-01-1978	Aufseßplatz – Weißer Turm
20-09-1980	Weißer Turm – Bärenschanze
20-06-1981	Bärenschanze – Eberhardshof
20-03-1982	Eberhardshof – Jakobinenstraße
07-12-1985	Jakobinenstraße – Fürth Hauptbahnhof
05-12-1998	Fürth Hauptbahnhof – Stadthalle
04-12-2004	Stadthalle – Klinikum
09-12-2007	Klinikum – Hardhöhe

U1 Fürth Stadthalle

Von 1985 bis 1998 war Fürth Hauptbahnhof der westliche Endpunkt der U1, bis schließlich auch in Nürnbergs Nachbarstadt der U-Bahn-Bau fortgesetzt wurde.

Die U1 wurde größtenteils in offener Bauweise errichtet. Im Bereich der Innenstadtquerung, zwischen Aufseßplatz und Weißer Turm, kam auch ein Handschild zur Anwendung. Die Strecke durch das Fürther Stadtzentrum wurde in geschlossener Bauweise per NÖT (Neue Österreichische Tunnelbauweise) aufgefahren.

nected to the elevated route that had been used by trams since 1970. Line U1 terminated at Fürth Hauptbahnhof from 1985 until 1998, when that town finally decided to continue U-Bahn construction on its territory.

Line U1 was mostly built by cut-and-cover, although the section through the medieval city centre between Aufseßplatz and Weißer Turm had to be excavated by means of a manual shield. The route through the Fürth town centre was built using the NATM (New Austrian Tunnelling Method).

U1 Fürth Rathaus

U1 Fürth Klinikum

U1 Nürnberg Hauptbahnhof

U1 Langwasser Nord – DT1 #443/444

U1 Maximilianstraße – DT1 #455/456

U1 Fürth Hardhöhe

U1 Scharfreiterring

U1 Weißer Turm – DT2 #547/548

U1 Bärenschanze

U3 Klinikum Nord – DT3 #729/730 & 755/756

`U2` **Röthenbach – Flughafen**   `U3` **Großreuth – Nordwestring**

Seit 2008 teilen sich die U2 und U3 den zentralen Abschnitt zwischen Rothenburger Straße und Rathenauplatz, wo im ersten Jahr die automatischen Züge der U3 gemischt mit konventionell betriebenen Zügen der U2 verkehrten, bevor bis Januar 2010 auch auf der U2 stufenweise der fahrerlose Betrieb eingeführt wurde.

Die Linie U2 verbindet den Flughafen im Norden mit dem Stadtzentrum und den südwestlichen Stadtteilen. Sie wurde größtenteils bergmännisch per NÖT (Neue Österreichische Tunnelbauweise, auch Spritzbetonbauweise genannt) in Sandsteinschichten errichtet, lediglich die Streckentunnel zwischen Hauptbahnhof und Rathenauplatz wurden wegen der Unterfahrung der Pegnitz und des Nonnenbachs im Schildvortrieb aufgefahren. Der Abschnitt Plärrer – Hauptbahnhof konnte in offener Bauweise erstellt werden. Auf diesem Teilstück liegt der U-Bahnhof Opernhaus, der seitlich zum Stadtgraben hin geöffnet ist. Bis auf die U-Bahnhöfe Schweinau und Rothenburger Straße wurden alle Stationen in offener Bauweise errichtet. Zwischen Ziegelstein und Flughafen ist die Strecke bislang eingleisig, ein späterer Ausbau sowie der Einbau eines Zwischenbahnhofs Marienberg ist bei Bedarf möglich. Von Röthenbach fährt die U2 alle 5 Minuten ab, wobei jeder zweite Zug am U-Bhf Ziegelstein endet (früher als U21 beschildert).

Der Bau der U2 begann auf dem südlichen Abschnitt. Von 1984 bis 1988 gingen die Züge am Plärrer auf die Linie U1 über, jetzt ist es an diesem doppelstöckigen Bahnhof möglich, am selben Bahnsteig zwischen U1 und U2/U3

Since 2008, the central section between Rothenburger Straße and Rathenauplatz has been shared by lines U2 and U3; during the first year, driverless U3 trains operated together with manually driven U2 trains until line U2 had also been converted to driverless operation by January 2010.

Line U2 links the airport in the north with the city centre and the southwestern districts. It was mostly built in sandstone layers using the NATM (New Austrian Tunnelling Method, also referred to as the shotcrete method); the section between Hauptbahnhof and Rathenauplatz, which includes the crossing under the Rivers Pegnitz and Nonnenbach, was excavated with a tunnel boring machine, while the section from Plärrer to Hauptbahnhof was built by cut-and-cover. The latter section includes Opernhaus station, which is open on the city moat side. Except for Schweinau and Rothenburger Straße, all stations were built by cut-and-cover. The route is single-track between Ziegelstein and Flughafen, although a second track plus an intermediate station at Marienberg is possible in the future. Line U2 departs from Röthenbach every five minutes, with every other train terminating at Ziegelstein (formerly shown as U21).

The construction of line U2 began on the southern section. From 1984 until 1988, the trains used to change to the U1 route at Plärrer; now cross-platform interchange between U1 and U2/U3 is provided at this bi-level station. Lines U1 and U2/U3 meet again at Hauptbahnhof,

U2 Schweinau – DT3 #741/742

im Richtungsbetrieb umzusteigen. Ein weiterer Umsteige-punkt zwischen U1 (unten) und U2/U3 (oben) besteht am Hauptbahnhof, wo die beiden Bahnsteige rechtwinkelig übereinander liegen.

Nach den positiven Erfahrungen auf der U2 wurden und werden auch bei der U3 die Streckentunnel größtenteils in geschlossener Bauweise per NÖT, die Stationen hingegen in offener Bauweise errichtet. Wegen des erheblichen Eingriffs in die Gestaltung der bestehenden Stationen wurde auf den Einbau von Bahnsteigtüren verzichtet, wie sie bei den meisten anderen vollautomatischen Metros zu finden sind. Stattdessen wird der Gleisbereich elektronisch überwacht. Nach Inbetriebnahme der U3 bis Großreuth im Jahr 2020 wird diese Linie bis 2025 um weitere zwei U-Bahnhöfe auf Nürnberger Gebiet bis Gebersdorf verlängert.

Wie die U2 verkehrt auch die U3 tagsüber bis 20:30 Uhr im 5-Minuten-Takt, spätabends alle 10 Minuten. Zwischen Rothenburger Straße und Rathenauplatz besteht somit tagsüber ein 2½-Minuten-Takt. In Schwachlastzeiten werden häufig nur Kurzzüge, die aus einem DT3 bestehen, eingesetzt.

where the U2/U3 platform lies perpendicularly above the U1 platform.

After the positive experience with line U2, the U3 tunnels are also being excavated using the NATM, although the stations are being built by cut-and-cover. However, the platform screen doors normally found on automatic metros were not installed here due to the visual impact they would have had on the design of the existing stations, and the track area is instead surveilled electronically. After the opening of the U3 extension to Großreuth in 2020, the line will be further extended to Gebersdorf by 2025, with two new underground stations within Nuremberg's city boundaries.

Like line U2, line U3 runs every 5 minutes during day-time hours until 20:30, and every 10 minutes later in the evening. For most of the day, there is thus a train every 2½ minutes between Rothenburger Straße and Rathenau-platz. During off-peak hours, short trains consisting of a single DT3 unit can often be seen.

U2	13.2 km	U3	8.1 km
	16 Bahnhöfe | *stations*		13 Bahnhöfe | *stations*

3.7 km (6 Bahnhöfe | *stations*) gemeinsam | *shared*

28-01-1984	Plärrer – Schweinau
27-09-1986	Schweinau – Röthenbach
24-09-1988	Plärrer – Hauptbahnhof
29-09-1990	Hauptbahnhof – Rathenauplatz
22-05-1993	Rathenauplatz – Schoppershof
27-01-1996	Schoppershof – Herrnhütte
27-11-1999	Herrnhütte – Flughafen
15-06-2008	Gustav-Adolf-Straße – Rothenburger Straße
	Rathenauplatz – Maxfeld
11-12-2011	Maxfeld – Friedrich-Ebert-Platz
22-05-2017	Friedrich-Ebert-Platz – Nordwestring
~2020	*Gustav-Adolf-Str. – Großreuth bei Schweinau (1 km)*
~2025	*Großreuth bei Schweinau – Gebersdorf (1.9 km)*

U2 Rennweg – DT3 #763/764

U2/U3 Opernhaus – DT3 #731/732

U2 Röthenbach – DT3F #791/792

U3 Friedrich-Ebert-Platz

U3 Sündersbühl

U3 Friedrich-Ebert-Platz

U2 St. Leonhard – DT3 #717/718

U3 Gustav-Adolf-Platz

Charlottenplatz (untere Ebene | *lower level*) – DT8.4 #3015/3016

STUTTGART

Stuttgart ist die Landeshauptstadt von Baden-Württemberg und hat rund 635.000 Einwohner. Zusammen mit den Nachbargemeinden, die teilweise von der Stuttgarter Stadtbahn erschlossen werden, steigt die Einwohnerzahl auf über eine Million. Die Stuttgarter Stadtbahn wird von der *Stuttgarter Straßenbahnen AG* (SSB) betrieben. Im *Verkehrs- und Tarifverbund Stuttgart* (VVS) bildet die Stadt Stuttgart seit April 2019 die Zone 1 (Tageskarte 5,20 €), für Fahrten mit der Stadtbahn in die Nachbarstädte Gerlingen, Remseck, Leinfelden-Echterdingen und Ostfildern sind Tickets für die Zonen 1+2 nötig (Tageskarte 6,00 €)!

Das Stuttgarter Stadtbahnnetz, auf dem 14 reguläre Linien tagsüber im 10-Minuten-Takt (außer U5, U8 - 20') unterwegs sind, umfasst alles, was die Kategorie „Stadt-bahn" ausmacht: von U-Bahn-mäßigen Tunnelstrecken über Stadtbahntrassen auf eigenem Gleiskörper bis hin zu klassischen Straßenbahngleisen. Seit Dezember 2010 verfügen alle Haltestellen über Hochbahnsteige, was einerseits überall einen barrierefreien Einstieg ermög-licht, andererseits auch Fahrzeuge mit Klapptrittstufen entbehrlich macht. Das Netz wird traditionell in drei Teile gegliedert:
1) **Tallängslinien** - U1, U2, U14
2) **Diagonallinien** - U4, U9
3) **Talquerlinien** - U5, U6, U7, U12, U15
Tallängs- und Diagonallinien sind im Stadtzentrum mit-einander verflochten. Dazu kommen die Tangentiallinien U3 (Filderquerlinie), U8, U13 und U19 sowie die nur in der Hauptverkehrszeit eingesetzte U16. Außerdem verkehrt als Linie 10 eine 2,2 km lange Zahnradbahn.

Stuttgart is the capital of the state of Baden-Württem-berg and has 635,000 inhabitants. Together with the surrounding municipalities, most of which are also served by the Stuttgart Stadtbahn, the population surpasses the one-million mark. The Stuttgart Stadtbahn is operated by the SSB (Stuttgarter Straßenbahnen AG). Since April 2019, the city of Stuttgart has represented zone 1 in the VVS fare system (Verkehrs- und Tarifverbund Stuttgart), with a day pass sold for just €5.20, but for Stadtbahn trips to the neighbouring towns of Gerlingen, Remseck, Leinfelden-Echterdingen and Ostfildern, tickets for zones 1+2 are required (day ticket €6.00)!

The Stuttgart Stadtbahn network, which comprises 14 regular lines operating every 10 minutes during daytime hours (U5, U8 - 20'), boasts everything a 'Stadtbahn' can feature: from metro-style tunnel sections to typical light rail routes with dedicated rights-of-way to on-street tram-like alignments. Since December 2010, all the stops and stations have been equipped with high-level plat-forms, thus not only allowing stepfree access but also making the previously used folding steps unnecessary. Traditionally, the system is divided into three line groups:
1) *Valley lines* - U1, U2, U14
2) *Diagonal lines* - U4, U9
3) *Cross-valley lines* - U5, U6, U7, U12, U15
The valley and diagonal lines are interlaced in the city centre. The network is complemented by the tangential lines U3 (Filderquerlinie), U8, U13 and U19 as well as line U16 which only operates during peak hours. Line 10, however, is a 2.2 km rack railway.

Degerloch – DT8.S #4189/4190

Stadtbibliothek – DT8.12 Tango #3527/3528

In Stuttgart wurde 1961 der Beschluss zum Bau einer U-Straßenbahn für den Innenstadtbereich gefasst. Als erstes wurde ab 1962 der Knoten Charlottenplatz unter die Erde verlegt. Dem Beispiel Münchens und Nürnbergs folgend, beschloss Stuttgart 1969 ebenfalls den Bau einer Voll-U-Bahn, 1976 wurde diese Entscheidung jedoch zugunsten einer leichter umsetzbaren Stadtbahn revidiert. Diese sollte normalspurig werden und stufenweise aus dem meterspurigen Straßenbahnnetz entwickelt werden. Die Wagenbreite wurde mit 2,65 m festgelegt, auch wenn das Profil der unterirdischen Strecken den späteren Einsatz von 2,90 m breiten Fahrzeugen ermöglichen sollte.

The decision to build an underground tram network in the centre of Stuttgart was taken in 1961. The construction of the underground intersection at Charlottenplatz began in 1962. Following the examples in Munich and Nuremberg, the city decided in 1969 to build a full-scale metro, too. But this decision was revised in 1976 in favour of a Stadtbahn system, which would be faster and cheaper to realise. The Stadtbahn was to be developed from the existing metre-gauge tram network, which therefore had to be converted to standard gauge. The car width was fixed at 2.65 m, although the tunnels were to be built large enough for 2.90 m wide trains.

Stadtbahn (Tunnelabschnitte sowie Neubaustrecken seit 1985* | tunnels and new routes since 1985*)

126 km** (~ 26.5 km Ⓤ), ~203 Haltestellen | stops (14 Ⓤ 100%)

10-05-1966 Staatsgalerie   Charlottenplatz (-2)   Rathaus
17-05-1967 Olgaeck ◣ Charlottenplatz (-1)   Königstraße
07-09-1971 Charlottenplatz (-2) – Marienplatz ◢ Erwin-Schoettle-Platz
10-05-1972 Charlottenplatz (-2) – Neckartor ◢ Stöckach
10-04-1976 Königstraße ◣ Hauptbahnhof – Stadtbibliothek (ex Türlenstraße) ◢ Pragfriedhof (ex Eckartshaldenweg)
            Staatsgalerie – Hauptbahnhof – Börsenplatz (ex Friedrichsbau) ◢ Berliner Platz
20-11-1978 Hauptbahnhof – Schlossplatz – Charlottenplatz (-1)
31-10-1983 Rathaus – Rotebühlplatz ◢ Berliner Platz (Hohe Straße)
01-04-1984 Bahnhof Feuerbach ◣ Maybachstraße
26-09-1987 Bopser ◣ 1.7 km Tunnel Weinsteige ◢ Weinsteige
23-07-1990 Löwentorbrücke / Löwentor ◣ Pragsattel – Maybachstraße
            Pragsattel ◢ Sieglestraße
03-11-1990 Weinsteige ◣ Degerloch ◢ Degerloch Albstraße
            Bahnhof Feuerbach ◣ Wilhelm-Geiger-Platz ◢ Föhrich (ex Feuerbach Krankenhaus)
26-09-1992 Landauer Straße ◣ Weilimdorf Löwen-Markt ◢ Rastatter Straße
18-04-1993 Pragfriedhof (ex Eckartshaldenweg) ◣ Killesberg
31-05-1997 Gerlingen Siedlung ◣ Gerlingen
23-05-1998 [Bopser] – Waldau ◢ Ruhbank & Weinsteige ◣ Waldau
11-09-1999 Ruhbank – Silberwald ◣ Sillenbuch ◢ Schemppstraße – Heumaden
09-09-2000 Heumaden ◣ Ruit ◢ Zinsholz – Nellingen Ostfildern
22-06-2002 Obere Ziegelei – Hauptfriedhof
16-07-2005 Hauptfriedhof ◣ 1 km Tunnel ◢ Steinhaldenfeld – Neugereut
11-12-2005 Freiberg – Mönchfeld
12-12-2010 [Möhringen Freibad] – Fasanenhof ◣ EnBW City ◢ Fasanenhof Schelmenwasen
11-12-2011 Zuffenhausen Rathaus ◣ Kirchtalstraße ◢ Salzwiesenstraße
14-09-2013 Löwentor – Hallschlag
13-05-2016 Wallgraben – Dürrlewang
09-12-2017 Hallschlag – Bottroper Straße ◣ 480 m Tunnel ◢ [– Wagrainäcker]
            Hauptbahnhof ◢ Budapester Platz – Milchhof

◣ Tunneleinfahrt | tunnel portal   ehemalige Rampe | former ramp
* Beginn des Stadtbahnbetriebs | start of Stadtbahn operation   ** ohne Linie 10 | without line 10

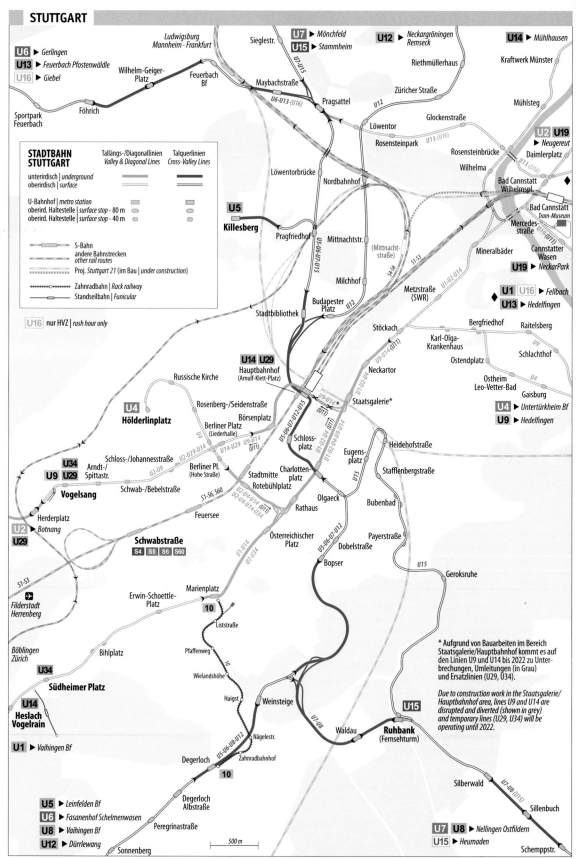

STUTTGART

STADTBAHN STUTTGART

	Tallängs-/Diagonallinien Valley & Diagonal Lines	Talquerlinien Cross-Valley Lines
unterirdisch | underground		
oberirdisch | surface		
U-Bahnhof | metro station		
oberird. Haltestelle | surface stop - 80 m		
oberird. Haltestelle | surface stop - 40 m		

S-Bahn
andere Bahnstrecken
other rail routes
Proj. Stuttgart 21 (im Bau \| under construction)
Zahnradbahn \| Rack railway
Standseilbahn \| Funicular

U16 nur HVZ \| rush hour only

U6 ► Gerlingen
U13 ► Feuerbach Pfostenwäldle
U16 ► Giebel

U5 ► Killesberg

U4 ► Hölderlinplatz

U34
U9 U29 ► Vogelsang

U2 ► Botnang
U29

U14 ► Heslach Vogelrain

U1 ► Vaihingen Bf

U5 ► Leinfelden Bf
U6 ► Fasanenhof Schelmenwasen
U8 ► Vaihingen Bf
U12 ► Dürrlewang

U7 ► Mönchfeld
U15 ► Stammheim

U12 ► Neckargröningen Remseck

U14 ► Mühlhausen

U2 U19 ► Neugereut

U19 ► NeckarPark

U1 U16 ► Fellbach
U13 ► Hedelfingen

U4 ► Untertürkheim Bf
U9 ► Hedelfingen

U14 U29 Hauptbahnhof (Arnulf-Klett-Platz)

U15 ► Ruhbank (Fernsehturm)

U7 U8 ► Nellingen Ostfildern
U15 ► Heumaden

* Aufgrund von Bauarbeiten im Bereich Staatsgalerie/Hauptbahnhof kommt es auf den Linien U9 und U14 bis 2022 zu Unterbrechungen, Umleitungen (in Grau) und Ersatzlinien (U29, U34).

Due to construction work in the Staatsgalerie/Hauptbahnhof area, lines U9 and U14 are disrupted and diverted (shown in grey) and temporary lines (U29, U34) will be operating until 2022.

500 m

Hauptbahnhof – DT8.S #4117/4118

Die ersten Tunnelstrecken wurden zunächst nur mit niedrigen Bahnsteigen versehen. Für den mittelfristig geplanten Mischbetrieb wurde ein 3-Schienen-Gleis verlegt, welches auf einigen Strecken bis heute für den Einsatz von Museumsfahrzeugen vorhanden ist. 1977 begann der stadtbahnmäßige Ausbau der oberirdischen Strecken für den Einsatz der breiteren Fahrzeuge. Bis 1983 konnten alle Tunnelstrecken im Stadtzentrum vollendet werden.

Der eigentliche Stadtbahnbetrieb mit neuen Fahrzeugen begann am 29. September 1985 auf der Linie U3 weitab vom Zentrum. Seither wurden stufenweise alle Strecken, zuletzt die Linie 15 im Jahr 2011, auf Stadtbahnbetrieb umgebaut, wobei die Gleise teils auf eigenen Gleiskörper verlegt und überall Hochbahnsteige errichtet wurden.

The early stations were only built with low platforms. For temporary mixed service with trams and Stadtbahn trains, 3-rail tracks were laid. To enable the operation of heritage trams, some sections still feature 3-rail tracks today. The upgrading of the surface routes for operation with wider vehicles began in 1977. By 1983 all the underground sections in the city centre had been completed.

Proper Stadtbahn operation with new trains began on 29 September 1985, far from the city centre on line U3. Gradually, all the routes were converted to Stadtbahn operation, most recently line 15, with part of the tracks having been re-laid on a separate right-of-way and high platforms built at all stops.

Neben den Tunnelstrecken in der Innenstadt entstanden auch zahlreiche unterirdische Abschnitte auf Außenstrecken, oft mit den für Stuttgart mittlerweile typischen halboffenen Stationen, entweder zwischen zwei Tunnelstücken (z.B. Europaplatz oder Weilimdorf Löwen-Markt) oder direkt am Tunnelmund (z.B. Silberwald oder Bottroper Straße). Neben den sonst meist in offener Bauweise errichteten Tunnelabschnitten ist vor allem die lange, steil

Staatsgalerie – DT8.S #4221/4222

Besides the underground segments in the city centre, numerous tunnels were also constructed on the outer sections. On these sections, several semi-open-air stations were built, either between two tunnels (e.g. Europaplatz and Weilimdorf Löwen-Markt) or at the tunnel mouths (e.g. Silberwald and Bottroper Straße). Most of the tunnels were dug by cut-and-cover, but worth mentioning are the long and steep

155

Charlottenplatz (obere Ebene | *upper level*) – DT8.14 #3557/3558

Killesberg – DT8.11 #3391/3392

Budapester Platz – DT8.S #4095/4096

Börsenplatz – DT8.S #4219/4220

Rotebühlplatz – DT8.4 #3035/3036

Marienplatz – DT8.10 #3331/3332

ansteigende und bergmännisch per NÖT aufgefahrene Strecke zwischen Bopser und Degerloch mit dem Abzweig zur Ruhbank erwähnenswert.

Derzeit wird der U-Bhf Staatsgalerie in Verbindung mit dem Großprojekt „Stuttgart 21" (neuer unterirdischer Hauptbahnhof) etwas verschoben völlig neu errichtet. Bis 2021 wird die U6 von Fasanenhof entlang der B27 über Messe/West zum Flughafen verlängert (3 km).

Bis 2007 waren auf der Linie 15 noch meterspurige Altbaufahrzeuge vom Typ GT4 (1959-1965) auch unterirdisch unterwegs. Ansonsten sind seit Beginn des Stadtbahnbetriebs verschiedene, eigens für Stuttgart entwickelte Doppeltriebwagen des Typs DT8 im Einsatz. Die ersten Serien waren noch mit Klapptrittstufen ausgestattet, doch bereits ab 1990 wurden Wagen ohne diese ausgeliefert (DT8.6). Die Fußbodenhöhe beträgt genau 100 cm. Ab der Serie DT8.10 sind beide Wagen durchgehend begehbar. Auf einigen Linien verkehren die DT8 aufgrund kurzer oberirdischer Bahnsteige nur als Einzelwagen, auf den Linien U6, U7 und U12 meist als 80 m lange Doppeltraktionen, was auch für die Linie U1 geplant ist.

routes from Bopser to Degerloch and Ruhbank, which were excavated using the NATM.

At present, the underground station at Staatsgalerie is being completely rebuilt in a slightly different position in conjunction with the new underground central railway station. By 2021, line U6 will have been extended 3 km from Fasanenhof alongside road B27 via Messe/West (trade fair grounds) to the airport.

Until late 2007, line 15 used to be served by older metre-gauge tram vehicles of class GT4 (1959-1965). Now the DT8 is in service on all routes, a unit consisting of married pairs especially designed for Stuttgart. The initial batches were equipped with folding steps, but the first units without these have been in operation since 1990 (DT8.6). The trains' floor height is exactly 100 cm above the top of the rail. Starting with batch 8.10, the two adjoining cars have been connected via a gangway. On some lines where only short surface platforms are available, only single DT8s are in service, whereas lines U6, U7 and U12 are normally served by 80 m double units, which is also planned for line U1.

Fahrzeuge | Rolling Stock

Nummer Number	Anzahl Quantity	Hersteller Manufacturer	Typ Class	Länge Length	Breite Width	Ausgeliefert Delivered
3007/3008-3233/3234*	114 DT	MAN/Duewag	DT8 (DT8.4-8.9 > DT8.S*)	38.8 m	2.65 m	1985-1996
3301/3302-3345/3346	23 DT	Siemens	DT8.10	38.6 m	2.65 m	1999-2000
3347/3348-3399/3400	27 DT	Bombardier	DT8.11	38.6 m	2.65 m	2004
3501/3502-3539/3540	20 DT	Stadler Pankow	DT8.12 Tango	39.1 m	2.65 m	2012-2014
3541/3542-3579/3580	20 DT	Stadler Pankow	DT8.14 Tango	39.1 m	2.65 m	2017
bestellt	ordered	20 DT	Stadler Pankow	DT8.15 Tango	39.1 m	2.65 m	

DT = Doppeltriebwagen | married pairs   * modernisierte Wagen (DT8.S) 4xxx statt 3xxx | refurbished cars (DT8.S) now 4xxx instead of 3xxx

Alter Markt – "G15" #03

WUPPERTAL

In der 355.000 Einwohner zählenden Stadt Wuppertal findet man wohl eine der ungewöhnlichsten Schnellbahnen der Welt, die „Schwebebahn". Dabei handelt es sich um eine (Einschienen-) Hängebahn, die nach dem Prinzip von Eugen Langen bereits Ende des 19. Jahrhunderts gebaut wurde.

Die bis 1929 selbständigen Städte des engen Wuppertals waren früh wichtige Industriestandorte. Die Straßenbahn überlebte zwar bis 1987, sie konnte aber schon Ende des 19. Jahrhunderts den Verkehr nicht allein bewältigen. Aus Platzmangel entschied man, eine Bahn 12 m über dem Fluss Wupper zu bauen, lediglich die westlichsten 3,3 km schweben 8 m über der Straße. Dazu wurde ein Gerüst aus 473 Stützenpaaren errichtet, an dem zwei Schienen befestigt sind, an denen die Fahrzeuge hängen. Die Antriebsmotoren (750 V Gleichstrom) sind an den Rädern montiert. An den Endstellen wenden die Einrichtungsfahrzeuge in einer Schleife.

Nach knapp drei Jahren Bauzeit ging die Schwebebahn 1901, also ein Jahr vor der „Berliner Hoch- und Untergrundbahn", in Betrieb. Der Haltestellenabstand von durchschnittlich 700 m entspricht einer typischen U-Bahn, auch der Takt von 3-5 Minuten tagsüber ist vergleichbar. Die Kapazität der 25 t schweren Gelenktriebwagen ist allerdings beschränkt. Die Schwebebahn wird von der *Wuppertaler Stadtwerke GmbH* (WSW) betrieben. Wuppertal ist Teil des Verkehrsverbunds Rhein-Ruhr (VRR; 24h-Ticket 7,10 €), wo die Schwebebahn als Linie 60 (ohne U) einer Stadtbahnlinie gleichgesetzt wird.

Seit den 1990er Jahren wurden alle Stationen modernisiert und sämtliche Stützen und Brücken neu gebaut. Die

The city of Wuppertal (355,000 inh.) certainly boasts one of the most peculiar rapid transit systems in the world, the so-called 'Schwebebahn' [literally 'floating railway']. It is actually a monorail suspension railway, built at the end of the 19th century following the Eugen Langen principle.

The towns in the narrow Wupper valley, which united in 1929, were once important industrial centres. At the end of the 19th century, the tramway, which survived until 1987, was not able to handle the high demand. Due to the lack of space, a decision was taken in favour of a railway running 12 m above the Wupper River. Only the westernmost 3.3 km floats 8 m above the street. Two rails are fixed to a total of 473 pairs of iron supports, with the vehicles being suspended from these rails. The motors, which are operated with 750 V dc, are mounted to the wheels. At the termini, the uni-directional trains reverse in a loop.

After just three years of construction, the Schwebebahn opened in 1901, i.e. one year before the Berlin 'Hoch- und Untergrundbahn'. With an average station distance of 700 m and a daytime interval of 3-5 minutes, the Wuppertal Schwebebahn can definitely be classified as a 'metro', although the capacity of the articulated cars, which have a weight of 25 tons, is limited. The line is operated by WSW (Wuppertaler Stadtwerke GmbH). The city is part of the VRR fare system (Verkehrsverbund Rhein-Ruhr; 24-hour pass €7.10), where the Schwebebahn represents Stadtbahn line 60 (not prefixed with a 'U').

Since the mid-1990s, the Schwebebahn has been undergoing a complete modernisation. Almost all the stations as well as all the supports and bridges have been

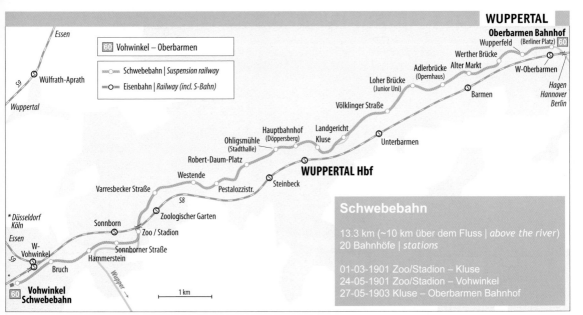

60 Vohwinkel – Oberbarmen

--o— Schwebebahn | *Suspension railway*
--O— Eisenbahn | *Railway (incl. S-Bahn)*

Schwebebahn

13.3 km (~10 km über dem Fluss | *above the river*)
20 Bahnhöfe | *stations*

01-03-1901 Zoo/Stadion – Kluse
24-05-1901 Zoo/Stadion – Vohwinkel
27-05-1903 Kluse – Oberbarmen Bahnhof

nach dem 2. Weltkrieg nicht wiederaufgebauten Stationen Alexanderbrücke (heute Ohligsmühle) und Kluse wurden erst 1982 bzw. 1999 wieder errichtet. Die Haltestellen Landgericht, Völklinger Straße und Werther Brücke wurden bis 2013 im Originalstil rekonstruiert, sie sind jedoch heute wie die übrigen barrierefrei zugänglich.

rebuilt. Destroyed in World War II, Alexanderbrücke (now Ohligsmühle) and Kluse were only re-opened in 1982 and 1999, respectively. By 2013, Landgericht, Völklinger Straße and Werther Brücke had been reconstructed in their original style, and like the other stations, are now fully accessible.

Landgericht – "G15" #02

Fahrzeuge	*Rolling Stock*						
Nummer	Anzahl	Hersteller	Typ	Länge	Breite	Ausgeliefert
Number	*Quantity*	*Manufacturer*	*Class*	*Length*	*Width*	*Delivered*
1...28*	~17*	MAN/Siemens/Kiepe	B72	24.1 m	2.20 m	1972-1974
01-31	31	Vossloh Kiepe	Generation 15	24.1 m	2.20 m	2015-2019

* werden seit 2016 nach und nach durch neue Fahrzeuge ersetzt | *since 2016 gradually being replaced by new vehicles*

159